JACK
HIGGINS

Atpildo valanda

UDK 820-3
Hi28

JACK HIGGINS
Day of Reckoning
London, HarperCollins
Publisher, 2000

ISBN 9955-527-19-6

Sunkiai nusidėjusio velnias tyko.
Siciliečių patarlė

PRAGARO ŽIOTYS

1

Bleiką Džonsoną pažadino ir, galima sakyti, sugrąžino į gyvenimą žiurkė. Jis pasijuto sėdįs ant akmeninės atbrailos, iki pusės vandenyje, ir pats nustebo, kaip apskritai galėjo užsnūsti. Aplinkui buvo tamsu, tačiau pajutęs kažką ant savo sprando, jis galutinai pabudo.

Šviesos, prasiskverbiančios pro grotas už jo nugaros, pakako, kad Bleikas pamatytų padarą, nuslystantį nuo savo kairiojo peties. Jis pūkštelėjo į vandenį, išniro ir atsisukęs nemirksėdamas įsispoksojo į Bleiką.

Tai priminė Bleikui Vietnamą, kai jis, tada dar jaunas Specialiųjų pajėgų seržantas, tūnojo paniręs iki kaklo Mekongo Deltos pelkynuose, bandydamas išvengti mirties. Ten irgi šmirinėjo žiurkių, nes buvo ir daug kūnų.

Čia kūnų nėra. Tik grotuotas įėjimas su sklindančia pro jį balzgana šviesa, apšviečiančia šiurkščias akmenines tunelio sienas, stiprus kanalizacijos dvokas bei už keliasdešimties žingsnių boluojančios kitos grotos. Jos reiškia, jog nėra kur eiti, — tą jis išsiaiškino vos tik čia patekęs.

Žiurkė, keistai draugiška, plūduriavo nenuleisdama nuo jo akių.

— Nagi, būk gera. Dink iš čia, — tyliai tarė Bleikas.

Jis sujudino vandenį, ir žiurkė spruko į šoną. Bleikas, staiga pajutęs geliantį šaltį, atsitiesė ir pabandė galvoti blaiviai. Jis prisiminė, jog buvo beveik atsitokėjęs Reindž Roveryje, kai nustojo veikti narkotikai. Jie pervažiavo per kažkokią kalvą; smarkiai lijo, siautė lyg ir audra, nes žaibo blyksnis vienu metu apšvietė uolas apačioje, siautėjančią jūrą, o uolų viršuje, it kokioje nors brolių Grimų pasakoje, stovėjo pilis.

Kai Bleikas sudejavęs pabandė atsisėsti, Falkonė, tas, kuris sėdėjo šalia vairuotojo, atsisuko ir šyptelėjo.

— Na štai. Sveikas sugrįžęs į gyvųjų pasaulį.

O Bleikas, iš paskutiniųjų mėgindamas susivokti, paklausė:

— Kur aš esu?

Falkonė vėl šyptelėjo.

— Pasaulio krašte, mano drauge. Nuo Amerikos tave skiria visas Atlanto vandenynas. Pragaro žiotys, štai kaip vadinama ši vieta.

Ir jis ėmė kvatotis, o Bleikas vėl nugrimzdo į tamsą.

Laikas nebeteko reikšmės. Apibintuotas dešinysis petys skaudėjo; Bleikas stipriai sunėrė aplink save rankas, bandydamas išsaugoti kūno šilumą, tačiau jo pojūčiai keistai paaštrėjo, ir kai už nugaros pasigirdo barkštelėjimas ir grotos atsidarė, jis tučtuojau sukluso.

— A, štai kur jūs, Dottore. Vis dar gyvas, — tarė Falkonė.

— Kad tu pastiptum, — iškošė Bleikas.

— Puiku. Gyvybės ženklai. Man tai patinka. Eikš čionai.

Falkonė sugriebė Bleikui už marškinių apykaklės ir truktelėjo. Bleikas išskriejo pro angą ir nusileido klūpomis koridoriuje. Ten jo laukė bjauriai išsišiepęs Ruso.

— Jis nekaip atrodo.

— Taigi jis velniškai dvokia. Nuprausk jį.

Prie žalvarinio sienos čiaupo buvo pritvirtinta žarna. Ruso atsuko vandenį ir nukreipė žarną į Bleiką. Šaltas vanduo atėmė Bleikui kvapą. Pagaliau Ruso liovėsi jį maudęs ir užmetė ant pečių antklodę.

— Bosas nori matyti tave, taigi elkis gražiai.

— Žinoma, kad elgsis gražiai, — atsiliepė Falkonė. — Kaip ir jo gražioji žmonelė Brukline.

Bleikas apsisupo antklode ir pakėlė galvą.

— Tavo darbas?

— Na, darbas yra darbas.

— Aš tave užmušiu.

— Nebūk kvailas. Tu ir taip jau gyveni skolintu laiku. Nagi judėkim, žmonės laukia, — ir jis stumtelėjo Bleiką koridoriumi.

Jie užlipo akmeniniais laiptais ir sustojo priešais ąžuolines geležimi kaustytas duris. Ruso atidarė jas, ir Falkonė įstūmė Bleiką į didžiulę akmeninę salę su židiniu. Ant stulpų kabojo šarvai ir senovinės vėliavos. Aplinka atrodė keistai nereali, tarsi bloga filmo dekoracija.

— O kas atsitiko Drakulai? — paklausė Bleikas.

Ruso susiraukė.

— Drakula? Kas jis per vienas?

— A, pamiršk.

Šalia židinio tysojo du vyrai. Rosis ir Kamečė; Bleikas buvo matęs jų veidus kompiuteryje — Solaco šeimos nariai.

Falkonė stumtelėjo Bleiką į priekį.

— Aš tave supratau. Kristoferis Li buvo geriausias. Man patiko tie Hamerio filmukai.

Ruso atidarė dar vienas ąžuolines duris. Už jų buvo kambarys aukštomis lubomis su dar vienu židiniu, žvakių šviesa ir šešėliais, gaubiančiais tamsią figūrą už masyvaus stalo.

— Įvesk poną Džonsoną, Aldo. Štai čionai, prie židinio. Jis tikriausiai sušalęs.

Falkonė pristūmė Bleiką prie židinio ir pritraukė kėdę.

— Sėsk.

Žmogus iš šešėlio tarė:

— Manyčiau, geriausiai tiks brendis. Didelis stiklas tikrai būtų ne pro šalį.

Bleikas atsisėdo, o Ruso nuėjo įpilti jam brendžio. Gėrimas tarsi degte nudegino, ir Bleikas užsikosėjo.

— Dabar duok jam cigaretę, Aldo. Kaip ir mes visi, ponas Džonsonas bando mesti rūkyti, tačiau gyvenimas trumpas, menas amžinas, o bandymai pavojingi. Tai lotyniška sentencija, bet pamiršau, kaip ji skamba.

— O, negi to nemokė Harvardo teisės mokykloje?

Bleikas paėmė iš Falkonės cigaretę ir žiebtuvėlį.

— Tiesą sakant, ne. Tačiau jūs sumanus. Akivaizdu, jog žinote, kas aš esu.

— Velniop šį spektaklį. Žinoma, aš žinau, kas tu toks. Džekas Foksas, Solaco šeimos pasididžiavimas. Tai kodėl tau neįjungus šviesos?

Po minutėlės kambarį nušvietė lempos šviesa, ir Bleikas

išvydo Foksą — tamsūs plaukai, šėtoniška išraiška, pašaipi šypsena. Jis pasiėmė iš sidabrinio dėklo cigaretę ir prisidegė.

— Ir aš pažįstu tave, Bleikai Džonsonai. Grįžai iš Vietnamo apsisagstęs medaliais, įstojai į FTB ir išgelbėjai prezidento Džeiko Kazaleto gyvybę, kai jis dar buvo senatorius. Nušovei du blogiečius ir pats buvai sužeistas. Dabar vadovauji pogrindžiui — privačioms Baltųjų Rūmų smogiamosioms pajėgoms. Deja, Bleikai, — jis nutilo ir išpūtė dūmus, — nemanau, kad dabar tave galėtų išgelbėti Kazaletas.

Bleikas spragtelėjo pirštais Falkonei.

— Dar brendžio.

Jis atsisuko į Foksą.

— Sena siciliečių patarlė, kurią galbūt įvertinsi, nes žinau, kad tavo motina buvo sicilietė, sako: “Sunkiai nusidėjusio velnias tyko”.

Foksas nusijuokė.

— Kuris čia velnias — tu ar Šonas Dilanas?

— Rinkis. Bet, Dieve padėk tau, jei tai bus Dilanas, — tarė Bleikas.

Foksas palinko į priekį.

— Leisk kai ką tau pasakyti, Džonsonai. Aš tikiuosi, kad tai bus Dilanas. Laukiu nesulaukiu, kada galėsiu įstatyti kulką į jo smegeninę. Ir į tavąją.

— Tu nužudei mano žmoną, — tarė Bleikas.

— Buvusią žmoną, — pataisė jį Foksas. — Bet čia nieko asmeniška. Tiesiog ji per daug sužinojo, ir viskas. Norėčiau, kad galėtum tai suprasti. — Foksas papurtė galvą. — Tu sukėlei man daug skausmo. Dabar teks sumokėti už tai. — Jis nusišypsojo. — Tikiuosi, Dilanas bus pakankamai kvailas ir ateis. Tada turėsiu jus abu.

— Arba mes turėsime tave.

Foksas mostelėjo Falkonei.

— Nuvesk jį atgal.

Jis užgesino šviesą, ir Ruso smogė Bleikui į paširdžius. Bleikas sulinko, ir Fokso parankiniai nutempė jį grindimis atgal į tunelį.

NIUJORKAS

PRADŽIA

2

Šlapią kovo vakarą Manhetene linkolnas sustojo ties Tramp Taueriu. Sniego nebebuvo, jį pakeitė smarkus negailestingas lietus. Džekas Foksas sėdėjo gale, Falkonė šalia jo, Ruso — prie vairo. Jie sustojo prie šaligatvio krašto, ir Falkonė su skėčiu išlipo pirmasis.

— Porą valandų galite veikti ką norite, — pasakė Foksas. Jis išsiėmė iš kišenės šimto dolerių banknotą. — Pavalgykit. Kai man jūsų prireiks, paskambinsiu mobiliuoju.

— Žinoma. — Falkonė palydėjo jį iki durų. — Prašom perduoti mūsų pagarbą Donui Solaco.

Foksas patapšnojo jam per petį.

— Nagi, Aldo, jis žino, jog gali pasikliauti tavo ištikimybe.

Jis nusisuko ir įėjo vidun.

Tarnaitė, įleidusi jį į viršutinio aukšto butą, buvo tikra italė, nedidukė, santūri, juoda suknute ir kojinėmis. Netardama nė žodžio, ji nusivedė jį per didžiulę svetainę su neįtikėtinu vaizdu į Manheteną, kur Foksas pagaliau rado savo dėdę, sėdintį palei židinį ir skaitantį žurnalą. Donui Solaco buvo septyniasdešimt penkeri. Laisvas lininis kostiumas slėpė stambią figūrą, o ramiame veide blizgėjo neišraiškingos akys. Šalia gulėjo lazda su dramblio kaulo rankena.

— A, Džekai, eikš čionai.

Sūnėnas priėjo ir pabučiavo dėdę į abu skruostus.

— Gerai atrodote, dėde.

— Tu irgi. — Donas pastūmė jam žurnalą. — Ką tik perskaičiau. Gražiai atrodai, Džekai. Labai gražiai. Elegantiškas kostiumas. Plati šypsena. Jie kalba apie tavo didvyriškumą Persijos įlankos kare — tai gerai. Bet tuo pačiu užsimena ir apie ką kita. Nors tavo pavardė ir Foksas, tavo motina buvo Marija Solaco, Dono Marko Solaco dukterėčia. Tesiilsi ji ramybėje, kartu su tavo tėvu. Bet tai jau negerai.

Foksas sumosavo rankomis.

— Tai nepavojinga medžiaga. Visi žino, kad aš tavo giminaitis. Bet jie mano, kad aš veikiu nepažeisdamas įstatymų.

— Taip manai? Toji žurnalistė, toji Katerina Džonson — tu manai, kad jai terūpi "nepavojinga medžiaga"? Neapgaudinėk savęs. Ji žino, kas mes tokie, nepaisant mūsų interesų Vol Stryte. Taip, mes gerbiami — nuosavybė, gamyba, finansai, — bet vis tiek esame mafija — štai kas suteikia mums galią. Apie šią mūsų pusę negali žinoti tokie žmonės kaip ji. Ne, ji siekia kažko kita, o tu... tu geras berniukas. Tu gerai pasidarbavai, bet ir aš ne kvailys. Žinau, kad be šeimos verslo, tu dar turi tą fabriką Brukline — tą, kuriame varai pigų viskį klubams.

— Dėde, prašau, — prasižiojo Foksas.

Donas kilstelėjo ranką.

— Suprantu, jaunam žmogui norisi pasidaryti vieną kitą papildomą žalią, bet tu kartais būni per gobšus. Aš viską žinau. Net ir apie tavo sandėrius su ARK* Airijoje, apie tą sandėlį po žeme, kur jie laiko ginklus. Ginklus, kuriais juos aprūpini tu. Apie tavo keliones į Londoną, į Koliziejų.

— Tai mūsų svarbiausias kazino, dėde.

— Taip, bet būdamas ten, tu su mūsų Londono žmonėmis organizuoji ginkluotus apiplėšimus. Prieš porą mėnesių tai buvo daugiau nei milijonas svarų grynais iš inkasatorių furgono. — Donas vėl nutildė beprasižiojantį Foksą. — Neerzink manęs, bandydamas tai paneigti, Džekai.

— Dėde... — Foksas pamėgino suvaidinti atgailaujantį.

— Tiesiog nepamiršk savo tikrojo tikslo. Narkotikų verslas Amerikoje nebeperspektyvus. Tu turi skatinti jo plėtimąsi Rusijoje ir Rytų Europos šalyse. Štai kur pagrindinis augimas. O prostituciją palik mūsų rusų arba kinų draugams. Tik nepamiršk paimti procentų.

---

* Airijos Respublikos kariuomenė.

— Kaip pasakysi, dėde.

— Visa kita gerai, bet, Džekai, — daugiau jokių darbelių už mano nugaros.

— Taip, dėde.

— O ta reporterė Džonson? Tu miegojai su ja? Tik sakyk tiesą!

Foksas padvejojo.

— Ne, nieko panašaus į tai.

— Tai į ką? Kodėl ji taip uoliai piešia tavo gražų paveikslą? Ji siekia kažko daugiau. Sakau tau, ji kažką slepia. Šis straipsnis dar ne toks blogas, bet kas toliau? Kas slypi už fasado? — Donas papurtė galvą. — Ji išgyrė tave, Džekai, ir tu ištižai. Geriau pasistenk sužinoti, ko ji iš tiesų siekia.

— Ką patartum, dėde?

— Apieškok jos butą. Pažiūrėk, gal ką rasi. — Jis siektelėjo ąsočio. — Išgerk martinio, tada eisime pietauti.

Teris Mauntas buvo niekuo neišsiskiriantis vaikinukas, kurį lengvai galėjai palaikyti kokiu nors pasiuntinuku. Tačiau jis buvo be galo sumanus butų vagis ir girdavosi, kad nėra tokios spynos, kurios negalėtų atrakinti. Jis tik kartą buvo pakliuvęs į kalėjimą, ir tai tik paauglystėje. Tasai išvaizdos paprastumas ne kartą išgelbėjo jam kailį.

Prieš porą naktų, puikiai pasidarbavęs vienoje vietelėje, jis užsidirbo penkiolika tūkstančių dolerių, kuriuos ką tik atsiėmė iš vogto turto supirkinėtojo, taigi Teris jautėsi puikiai sėdėdamas bare ir mėgaudamasis rūgščiu barmeno pilamu viskiu, kai staiga jo petį palietė sunki ranka.

Teris atsisuko ir jam iš karto suspaudė skrandį. Falkonė nusišypsojo.

— Gerai atrodai, Teri.

Ruso, kaip paprastai niūrus, atsirėmė į barą, ir Teris giliai įtraukė oro.

— Ko nors nori, Aldo?

— Ne aš, bet Solaco šeima norėtų paslaugos. Juk tu niekada nepasakytum Donui “ne”, ar ne taip, Teri?

— Žinoma, ne, — suvapėjo Teris, griebė stiklą su rūgščiu viskiu ir vienu mauku išlenkė jį.

— Tik šį kartą paslaugos reikia Džekui Foksui.

Teriui vos nepaleido vidurių.

— Padarysiu viską, ką galėsiu.

— Žinoma, padarysi. — Falkonė paplekšnojo Teriui per žandą ir tarė neramiai žiūrinčiam barmenui: — Įpilk dar vieną. Jam reikės išgerti.

— Klausyk, aš nenoriu jokių problemų, — tarė barmenas.

Ruso persilenkė per barą ir prikišo savo grėsmingai bjaurų veidą prie barmeno.

— Įpilk jam to suknisto gėralo ir užsičiaupk. Supratai?

Barmenas virpančiomis rankomis skubiai padarė kaip lieptas.

Džekas Foksas buvo savo namuose Park Aveniu ir mėgavosi rūkytos lašišos sumuštiniais, užsigerdamas šampanu, kai Falkonė įvedė Terį Mauntą.

— Teri, atrodai susirūpinęs, — tarė jam Foksas. — Ir ko gi? — Jis atsikando sumuštinio, ir Falkonė ištraukė iš kišenės pluoštą pinigų. — Aldo, gal išlošei loterijoje, ar ką?

— Ne, sinjore, bet atrodo, kad Teris laimėjo. Čia penkiolika gabalų.

Foksas linktelėjo galva į šampano kibirėlį, ir Falkonė įpylė jam dar vieną taurę.

— Teri, tu vėl išdykavai.

— Prašau, pone Foksai, aš tik bandau užsidirbti vieną kitą žalią.

— Ir užsidirbsi. — Foksas nusišypsojo. — Du gabalus, Teri.

Teris išvertė akis.

— Ir ką turėsiu už tai padaryti?

— Tai, ką moki geriausiai. — Foksas pastūmė per stalą popieriaus lapelį. — Katerina Džonson. Berou gatvė, 10. Vilidžo pakraštyje. Apieškok jos butą, šiandien.

— Bet man reikia laiko pasiruošti.

— Kam? — šaltai atrėmė Foksas. — Tai mažas namukas. Namuose jos nebus. Gyreisi, kad gali įsilaužti į bet kurį namą.

Teris apsilaižė lūpas.

— Ką reikės padaryti?

— Ji — žurnalo reporterė, taigi tikriausiai rasi kabinetą, kompiuterį, vaizdo magnetofoną ir panašiai. Atnešk visus kiek rasi diskelius. Ir vaizdajuostes.

— Žmonės turi daugybę vaizdajuosčių. Tai negi imti visas?

— Pakrutink smegenis, Teri, — kantriai tęsė Foksas. — Man nereikia "Purvinojo Hario" ar "Ji ryšėjo geltoną kaspiną". Pagalvok pats. Vaikinai tave nuveš, palauks ir parveš. Atnešk viską, ką turėsi iki penktos valandos. Esu tikras, kad manęs neapvilsi.

Falkonė nešte išnešė Terį pro duris.

Teris ėjo Berou gatve, vilkėdamas striukę, ant kurios buvo užrašyta: "Smito Elektronika". Kai po trijų skambučių prie durų niekas neatsiliepė, jis nesivargino su priešakinėmis durimis, o nuėjo tiesiai į rūsį. Ten buvo dviguba spyna, tačiau abu užraktai pakluso jo prisilietimams.

Teris pateko į skalbyklą ir pasuko laiptų, vedančių į koridorių, link. Pirmame aukšte buvo svetainė, valgomasis ir virtuvė, todėl Teris nutarė apžiūrėti antrąjį aukštą. Vienintelis daiktas, ardąs tylą, buvo senelio laikrodis, tiksintis koridoriuje. Pirmosios atidarytos durys vedė į kabinetą. Jis pamatė lentynas, užverstas knygomis ir vaizdajuostėmis, kompiuterį, šalia jo du vaizdo magnetofonus, diskinį įrenginį bei kasetinį magnetofoną. Juos visus įjungė ir tada išėmęs iš jų ką rado, sukrovė viską į kabantį ant peties krepšį. Po to peržiūrėjo stalčius ir rado dar diskelių ir kasečių, kurias irgi paėmė.

Toliau Terį apėmė tikra neviltis. Šitiek vaizdajuosčių — filmai, mokomosios juostos... Prakaituodamas jis išvertė lentynas ir išmėtė juostas ant grindų.

Tvarka. Jis padarė tai, ko norėjo Foksas. Laikas dingti. Ant stalelio stovėjo keletas butelių ir taurių. Jis įsipylė viskio, gurkštelėjo ir išėjo iš namo tuo pačiu keliu kaip ir atėjo. Prieš sugrįždamas pas Falkonę ir Ruso, Teris užrakino rūsio duris.

Kai jie atvyko į Park Aveniu, Foksas jau nekantraudamas laukė. Jis pasiėmė Terio atneštus diskelius bei juostas ir tarė Ruso:

— Pasirūpink juo. — Tada atsisuko į Falkonę. — Tu pasilik. Gali būti blogai.

— Tada bus blogai mums abiem, sinjore. — Jiedu buvo draugai nuo vaikystės.

Foksas ėmė tikrinti diskelius — daugiausiai juose buvo darbo užrašai, laiškai, sąskaitos, — paskubomis jas dėjo į šoną. Tada ėmėsi juostų, kurias Teris buvo radęs kasetiniame magnetofone. Įjungęs antrąją, jis suprato, jog užkabino aukso gyslą.

Iš pradžių pokalbis sukosi apie šeimą ir kitus nereikšmingus dalykus. Moters balsas buvo malonus ir intymus, o vyriškio...

Falkonė neišlaikė:

— Jėzau Marija, sinjore, tai jūs.

Fone girdėjosi restorano garsai, muzika.

— Ji įrašė mūsų pokalbį, — tarė Foksas.

Staiga įrašas pasikeitė. Dabar moteris aiškiai įrašinėjo savo pastebėjimus.

“Nėra nė menkiausios abejonės, kad Džekas Foksas, nepaisant jo karo didvyrio ir Vol Stryto įvaizdžio, yra niekas kitas kaip naujasis Solaco šeimos ir naujosios mafijos veidas. Užliūliuosiu jį pirmuoju straipsniu žurnale, o tada smogsiu. Galbūt net pavyks parodyti specialią laidą per televiziją. Tiesiog reikia neskubėti, glostyti jo savimeilę. Jo tuštybė pati pasirūpins visu kitu”.

Foksas išjungė magnetofoną.

— Kalė.

— Tikrai, sinjore. Ką darysime?

Foksas atsistojo, nuėjo prie baro ir įsipylė viskio. Tada atsisuko į Falkonę.

— Man atrodo, jog tu žinai, drauguži. — Jis priėjo prie telefono ir surinko numerį. — Prašyčiau Kateriną Džonson. Alio, Keite? Džekas Foksas. Ar sutiktum šįvakar pavakarieniauti? Aš čia galvojau apie tą reikalą, ir, žinai, pamaniau, kad tave galėtų sudominti dar kai kas... Tikrai? Nuostabu. Klausyk, nesivargink ir nevažiuok namo. Aš atsiųsiu mašiną. Tada paimsi mane iš Park Aveniu. Mes ką tik nusipirkome naują restoraną Brukline, taigi norėčiau jį išbandyti. Padėsi?.. Puiku! Atsiųsiu Falkonę tavęs paimti. — Jis padėjo ragelį, nustebintas užplūdusio gailesčio.

Tą lietingą tamsų vakarą ant linkolno sėdynės sėdėjo nedidukė daili tamsių plaukų ir protingo veido keturiasdešimtmetė. Ruso buvo prie vairo, Falkonė — šalia. Jie įsuko į Park Aveniu, ir Falkonė paskambino Foksui mobiliuoju.

— Sinjore, mes jau čia. — Jis atsisuko į moterį. — Jis tuoj nusileis.

Ji nusišypsojo ir išsitraukė "Marlboro" cigaretę. Falkonė padavė jai žiebtuvėlį.

— Dėkoju.

— Prašom, sinjora.

Jis nuleido juos skiriantį stiklą, ir po minutėlės pasirodė Foksas, vilkėdamas juodu paltu. Jis įsėdo vidun ir pabučiavo ją į skruostą.

— Puikiai atrodai, Keite.

Linkolnas pajudėjo.

— Tu ir pats dailiai atrodai.

Jis draugiškai šyptelėjo.

— Ką gi, už gerą vakarą.

Tuo metu Teris Mauntas rijo bare viskį, jausdamas dešinėje krūtinės kišenėje sunkumą, kurį dabar sudarė jau septyniolika tūkstančių dolerių. Jis išėjo į gatvę, pasistatė apykaklę, slėpdamasis nuo čaižančio lietaus ir patraukė šaligatviu. Staiga jis išgirdo, jog kažkas juda jam už nugaros, ir tą pačią sekundę pajuto į nugarą įremtą aštrų daiktą.

— Pasuk dešinėn, į alėją. — Teris padarė kaip lieptas ir pasijuto priremtas prie sienos. Ranka apieškojo kišenes. — O, septyniolika gabalų. Tu buvai teisus.

— Kas tu?

— Aš — juodoji mamulė, vardu Henris, ir tu nenorėtum susitikti su manimi Rikerso salos apylinkėse.

Teris virpėjo iš siaubo.

— Aš tik padariau, kaip man buvo liepta.

— O tai reiškia, kad žinai per daug. Linkėjimai nuo Solaco.

Peilis perskrodė krūtinkaulį ir surado širdį. Teris Mauntas susmuko palei sieną.

Ankstyvą, tačiau tamsų kovo vakarą linkolnas, važiavęs Kolumbijos gatve Brukline, pasuko į dešinę ir sustojo prieplaukoje, kurioje siūbavosi pririšti pakrantės laivai. Ruso išjungė variklį. Staiga sunerimusi Katerina Džonson tarė:

— Kas gi tai? Kur mes esame, Džekai?

— Čia baigiasi eilutė, sinjora. Tu tikrai manei, kad aš mulkis.

Ji išspaudė šypseną.

— Baik jau, Džekai.

— Ką baigti? Liepiau apieškoti tavo namą. Ir suradau tą kasetę, į kurią įrašei mūsų pokalbį. Ir ne aš ten kai ką pasakiau, bet tu. Sakai, neskubėsi ir liūliuosi mane, a? Nereikėjo taip elgtis su manimi.

— Dėl Dievo meilės, Džekai, išklausyk mane.

— Ne, aš jau užtektinai prisiklausiau. Ir prikalbėjau.

Privažiavo dar vienas limuzinas. Foksas išlipo ir mestelėjo Falkonei:

— Aldo, pasirūpink, kad viskas būtų kaip reikiant.

— Kaip įsakysite, sinjore.

Foksas įsėdo į antrąjį limuziną ir nuvažiavo.

Katerina pabandė atidaryti dureles, tačiau čia prišoko Ruso, iškėlęs savo stambias letenas.

— Neląsk! — šūktelėjo Falkonė. — Nenoriu, kad liktų mėlynių. — Jis sučiupo Kateriną už kaklo ir parvertė kniūbsčią ant užpakalinės sėdynės. Jos sijonas užsivertė.

— Nagi, greičiau.

Falkonė laikė spurdančią moterį. Ruso išsitraukė iš kišenės dėžutę, atidarė ją ir išėmė švirkštą.

— Tau tai patiks, mergyt. Geriausias heroinas, kokio tik įmanoma gauti. — Jis įsmeigė adatą jai į kairiąją šlaunį, tada suleido dar vieną dozę, tik šį kartą į dešinįjį sėdmenį. — Na štai, baigta.

Katerina riktelėjo ir susmuko.

Ruso paglostė ją.

— O ji tikrai nebloga. Gal man truputį pasismaginus?

Jis siektelėjo savo užtrauktuko, bet Falkonė smarkiai kumštelėjo jam.

— Mulki tu prakeiktas, tai viską sugadintų. Nagi, padėk man.

Ruso niurnėdamas paėmė Kateriną už kojų, Falkonė — už rankų, ir jiedu nunešė ją prie prieplaukos krašto.

— Dabar paleidžiam. — Ir Katerinos kūnas pūkštelėjo į vandenį.

— Varom kur nors išgerti. — Jie sugrįžo prie linkolno ir po minutėlės nuvažiavo.

Nė vienas nepastebėjo Katerinos rankinės, kuri, iškritusi iš automobilio, gulėjo įpakavimo dėžės šešėlyje.

Kitą rytą, šeštą valandą, lietus nuo Yst upės pasibeldė į senos nuovados langus. Haris Parkeris, vos prieš valandą išmestas iš lovos, gėrė kavą ir raukėsi, kai įėjo policijos seržantė Helena Abruci.

— Šlykštu, — tarė jai Parkeris. — Ši kava man primena, kodėl persimečiau prie arbatos. Gerai, tai ką gi mes turime?

— Toji mergaičiukė, Šarlin Vilson. Ji dirbo netoliese esančiame striptizo bare.

— Ir užsidirbinėjo iš šalies?

— Atrodo.

— Ir kas atsitiko?

— Ji išėjo namo su tokiu Mudžiu. Kai mes ją radome, ji buvo išprievartauta oraliniu būdu, prismaugta, surištais riešais.

Parkeris susiraukė.

— Tai primena tas dvi žmogžudystes Bateri parke.

— Ir aš taip pamaniau, kapitone, todėl ir paskambinau, kad ateitumėt. Šarlin pavyko išsisukti, nes tas Mudis pasigėrė ir užmigo, tada ji šiaip ne taip išlaisvino rankas.

Parkeris linktelėjo.

— Gerai, pranešk man, kai bus parengta liudytojo akistata.

Ji išėjo, o Parkeris priėjo prie lietaus plakamo lango ir susikrapštė cigaretę. Jis jau seniai liovėsi apsimetinėjęs, kad metė rūkyti. Prisidegęs niūriai įsistebeilijo į upę. Parkeris buvo milžiniškas juodukas, pradėjęs gyvenimą Harleme, gavęs teisės laipsnį Kolumbijos universitete ir tuomet, užuot ėjęs dirbti į teisės firmą, įstojo į policijos gretas. Jo nebaugino septyniasdešimties valandų darbo savaitė, nors žmona niekada su tuo nesusitaikė ir paliko jį.

Dabar jis jau treti metai vadovavo Specialiųjų žmogžudysčių skyriui, įsikūrusiam Pirmojoje policijos nuovadoje. Kartais nuo nesibaigiančių žmogžudysčių jį apimdavo depresija. Artėdamas prie penkiasdešimties, jis ėmė svarstyti, ar negalėtų imtis ko nors geresnio. Kažin ar Bleikas kalbėjo rimtai, kai sakė, jog jo vadovaujamame specialiųjų tarnybų padalinyje Vašingtone gali atsirasti laisva vieta...

Atsidarė durys, ir pasigirdo Helenos Abruci balsas.

— Vaidinimas prasideda, kapitone.

Mergina peržiūrų kambaryje atrodė siaubingai: veidas buvo sutinęs, vienos akies išvis nesimatė, kaklas margavo nuo mėlynių. Už jos stovėjo Helena, raminančiai tapšnodama merginai per petį, o Parkeris skaitinėjo bylą. Baigęs linktelėjo, ir Helena paspaudė mygtuką. Užsižiebė šviesa, ir kitoje stiklinės sienos pusėje pasirodė penki vyrukai. Mergina šūktelėjo.

— Trečias numeris. Tai jis, — ištarė ji ir ėmė verkti.

Šešta valanda ryto nelabai tinkamas metas užuojautai, tačiau Parkeris apkabino ją per pečius.

— Nagi, giliai įkvėpk. Žinau, tai nelengva, bet aš tau pažadu, kad tą šiknių prispausiu. — Jis spustelėjo merginos petį ir linktelėjo Abruci. — Išvesk ją, tada atvesk tą išgamą.

Kurį laiką Parkeris stovėjo žiūrėdamas į apačioje siaučiančią upę; tada atsidarė durys ir įėjo Helena Abruci. Už jos surakintomis rankomis stovėjo Polas Mudis ir du policininkai.

— O kas tu toks, velniai rautų? — piktai pasiteiravo Mudis.

— Kapitonas Haris Parkeris. Seržantė Abruci turi tau, Mudi, gana ilgą kaltinimų sąrašą, kurio viršuje puikuojasi seksualinė prievarta sunkinančiomis aplinkybėmis.

— Baikit, toji kalė pati norėjo. Ji užsiima sadomazochizmu ir panašiomis nesąmonėmis. Žmogau, mane patį ištiko šokas.

— Kurgi ne. O, vos nepamiršau paminėti seksualinio santykiavimo su nepilnamete.

Stojo tyla.

— Ką čia malat apie nepilnametes? — pagaliau paklausė Mudis.

— Negi seržantė Abruci nepasakė tau? Tai merginai, Šarlin Vilson, prieš dvi savaites sukako penkiolika.

Mudis pabalo.

— Bet aš to nežinojau.

— Dabar žinai, — atsiliepė Helena Abruci.

— Dar kai kas, — vėl prakalbo Parkeris. — Per pastaruosius tris mėnesius Bateri parke įvykdytos dvi žmogžudystės, kurių technika, Mudi, tokia pati kaip tavoji. Merginos buvo surištos, išprievartautos, sumuštos, ir visos jos jaunos.

— Negalite man jų prikabinti.

— Man ir nereikia. Mes turime DNR pavyzdžius, paimtus iš Šarlin Vilson. Turime ir Bateri parko žudiko DNR. Galiu kirsti lažybų iš savo pensijos, kad jie atitiks.

— Eik velniop, suknistas nigeri.

Mudis puolė Parkerį, tačiau policininkai spėjo jį sulaikyti.

— Nagi, Polai, patarčiau pataupyti energiją, — šyptelėjo Parkeris. — Tau jos prireiks, kai sėsi į kalėjimą keturiasdešimčiai metų. — Jis linktelėjo policininkams. — Išveskit iš čia tą mėšlo krūvą.

Durims užsivėrus, jis nusisuko į langą.

— Šis tikrai blogas, — tarė Helena Abruci.

— Visi jie blogi, seržante. — Jis atsisuko. — Man reikia įkvėpti oro. Eisiu pasivaikščioti, jei tik surasi man skėtį. Vėliau sugrįžęs pasirašysiu dokumentus.

— Gerai, sere.

Parkeris nusišypsojo ir staiga tapo netgi žavus.

— Tu čia puikiai darbavaisi, seržante. Aš tave stebėjau. Netrukus turėtų atsilaisvinti inspektoriaus vieta Policijos nuovadoje. Tu jos verta. Nors, žinok, negaliu pažadėti.

— Aš žinau, sere.

— Puiku. Pasimatysime vėliau, tik paskambink į praėjimą ir parūpink man skėtį.

Pakrantėje smarkiai lijo. Parkeris pasiskolino policijos lietpaltį su kapišonu ir pasiėmė Abruci parūpintą skėtį. Lietus padėjo pasijusti geriau, praskaidrino galvą. Vos tik jis prisidegė kitą cigaretę, prie jo priskubėjo išsigandęs senyvas vyriškis.

Parkeris kilstelėjo ranką.

— Kas atsitiko? Kas yra?

— Reikalinga policija!

— Manyk, kad jau radai ją. Kas atsitiko?

— Mano pavardė Ričardsonas. Dirbu naktiniu sargu Darmerio sandėliuose. Baigęs pamainą, priėjau prie prieplaukos krašto, norėdamas įmesti nuorūką ir... ten, vandenyje, moteris!

— Gerai, parodyk man, — tarė Parkeris, stumtelėdamas žmogų į priekį.

Katerina Džonson buvo per porą pėdų nuo kranto po tamsiai žaliu vandeniu. Jos rankos buvo išskėstos į šonus, kojos pražergtos, akys spoksojo į amžinybę. Veide atsispindėjo nuostaba, o ji pati atrodė mirtinai ir skausmingai graži.

Haris Parkeris išsiėmė mobilųjį telefoną ir paskambino į nuovadą.

— Čia kapitonas Parkeris. Vos per tris šimtus metrų nuo jūsų vandenyje plūduriuoja Džeinė Do. Iškvieskite geitąją ir pastiprinimą. — Minutėlę jis stovėjo, laikydamas rankoje telefoną, tada padavė jį Ričardsonui ir nusivilko lietpaltį. — Palaikyk.

Jis nusileido akmeniniais laipteliais, įsibrido iki juosmens į vandenį ir ištiesė rankas. Jis elgėsi kvailai, nes šį darbą būtų atlikusi gelbėjimo komanda, bet jis negalėjo palikti jos ten. Tai kažkaip keistai paveikė jį patį.

Minutėlei moterį paslėpė vandenyje plūduriuojančios šiukšlės, ir Parkeris žengė giliau, tada sugriebė kūną ir iškėlė sau virš galvos. Viršuje pasigirdo stabdžių cyptelėjimas — atvyko gelbėjimo tarnyba.

Parkeris grįžo namo, persirengė ir papusryčiavo kampinėje kavinukėje — kiaušiniai, kumpis, angliška arbata, — tada vėl atėjo į darbą. Tačiau negyvos moters veidas, atmerktos akys nedavė jam ramybės, ir jis paskambino Abruci.

— Kas daroma su mano rastąja Džeine Do?

— Ji morge. Jie pasikvietė vyriausiąjį medicinos ekspertą. Atrodo, kad jis pats ketina daryti skrodimą.

— Pasakyk jam, kad aš atvažiuoju.

Kai Haris Parkeris atvyko į vyriausiojo medicinos eksperto daktaro Džordžo Romano kabinetą, šis valgė sumuštinį ir gėrė kavą.

— Hari, žmogau, kas nauja?

— Toji Džeinė Do iš upės. Aš ją ištraukiau.

— Tai dabar jautiesi taip, tarsi tai būtų tavo paties reikalas, taip?

— Kažkas panašaus.

— Aš jau buvau bebaigiąs skrodimą. Ilsėjausi. Ką nori sužinoti? Ar ji nukrito, ar buvo įstumta?

— Panašiai.

— Gerai, Hari, gali eiti su manim, nes šis reikalas dvokia. — Romano užbaigė kavą ir pakilo.

Jie nuėjo į skrodimų kambarį, kur jau laukė du į chalatus įsisupę padėjėjai. Romano iškėlė rankas, ir vienas iš jų padėjo jam apsivilkti chalatą. Jis nuėjo prie kriauklės ir nusigrandė rankas.

— Štai ji, Hari, visa tavo.

Katerina Džonson gulėjo ant metalinio operacinio stalo, padėjusi galvą ant medinės trinkelės. Ji buvo nuoga; Y formos pjūvis ryškiai kontrastavo su blyškia oda. Romano vėl iškėlė rankas, ir vienas iš padėjėjų užtempė ant jų chirurgines pirštines. Šalia stovėjo vežimėlis, apkrautas instrumentais, televizorius ir vaizdo magnetofonas.

Romano prabilo:

— Antradienis, kovo 2-oji, grįžtu prie ponios Katerinos Džonson, gyvenančios Berou gatvėje 10, Grinvič Vilidže, skrodimo.

— Kas čia dabar? — apstulbęs šūktelėjo Parkeris.

— Nežinojai? — dabar nustebo Romano. — Tas vyrukas, kuris ją surado, Ričardsonas, rado jos rankinę. Matyt, ji pametė ją prieš įkrisdama į vandenį. Joje krūva tapatybės pažymėjimų.

— Tvarka. Puiku. Imkimės darbo. Kodėl sakei, kad šis reikalas dvokia?

— Ji graži, puikiai prižiūrėtas kūnas, gera sveikata, maždaug keturiasdešimties.

— Ir?

— O mirė perdozavusi heroino. Tos dozės būtų užtekę dviem mirtims. Kažkas neatitinka. Tokia kaip ji? Be to, jei ji būtų intensyviai vartojusi narkotikus, tai dūrių būtų visur. Dabar yra tik du — paskutiniausieji. Vienas į kairiąją šlaunį, kitas — į dešinįjį sėdmenį. Ir ką ji veikė vandenyje?

— Atsitiktinai padaugino ir įkrito?

— Galbūt. Bet aš tuo abejoju. Kaip sakiau, ji nebuvo narkomanė. Ir dar kai kas. Rankinėje radau jos medicininę kortelę. Patikrinau — ji buvo kairiarankė.

— Tai kas?

— Hari, kad ir labai norėdamas, neįsivaizduoju, kaip kairiarankis galėtų susileisti sau į dešinįjį sėdmenį. Įmanoma, tačiau neįtikėtina.

Jis ištiesė ranką į elektrinį pjūklą.

— Tai tu nori pasakyti, kad ją kažkas numarino?

— Hari, aš kaip ir tu jau ne pirmi metai mirties versle. Ilgainiui imi ją užuosti. Taip, aš manau, kad kažkas ja pasirūpino.

— O tai reiškia, kad turiu dar vieną žmogžudystę ant savo sprando.

— Atrodo. Dabar aš ruošiuosi atidaryti kaukolę, todėl, jei nelabai tuo žaviesi, geriau išeik.

— Puikus patarimas. Pasinaudosiu juo, — tarė Haris Parkeris, apsisuko ir išėjo.

Jis nuėjo į Abruci kabinetą. Ji sėdėjo prie stalo ir dirbo.

— Girdėjau, kad pasidomėjai Džeinės Do asmenybe, — tarė jis. — Parodyk man.

— Tai įdomu. Ji žurnalo "Truth" žurnalistė, vardu Katerina Džonson. Aš viską atspausdinau. Išsiskyrusi, vaikų nėra. Jos vyras buvo Bleikas Džonsonas, FTB.

Parkeriui staiga išdžiūvo burna.

— Bleikas Džonsonas?

— Taip. Jūs jį pažįstate?

— Mes esame kartu dirbę. Tik jis jau nebedirba FTB. Jis dirba prezidentui.

— Jėzau, čia tai bent, ar ne, kapitone?

— Taip, čia tai bent. Seržante, niekam nė žodžio.

— Kaip pasakysite.

— Jėzau, — pakartojo jis ir pažiūrėjo į Heleną. — Gal kartais turite čia kokį butelį, seržante?

Ji kiek padvejojo, tada ištraukė iš stalčiaus pusę butelio airiško viskio.

— Medicininiams tikslams, — tarė ji.

— Kartais mums to labai reikia. Seržante, nuo šiol dirbate tiesiogiai man. Aš pats pasakysiu jūsų leitenantui. Pirmiausia noriu, kad paskambintumėt į Baltuosius Rūmus ir surastumėt moterį, vardu Alisa Kvarmbi. Supratot? Ji Džonsono asistentė. Man reikia su ja pasikalbėti.

Jis nusisuko į langą ir įsispoksojo, tada dar kartą gurkštelėjo iš butelio. Kai Abruci pašaukė, jis atsisuko ir paėmė ragelį.

— Alisa? Haris Parkeris. Ar Bleikas yra?

— Jis pas prezidentą, Hari.

— Velniai rautų.

Stojo trumpa tyla.

— Tai svarbu?

Jis viską jai papasakojo.

Ovaliniame kabinete prie stalo sėdėjo prezidentas Džeikas Kazaletas ir Bleikas Džonsonas, peržiūrinėdami paskutiniuosius žvalgybos pranešimus apie taikos procesą su airiais. Mėgstamiausias prezidento Slaptosios tarnybos agentas Klensis Smitas, aukštas, juodaodis Persijos įlankos veteranas, stovėjo prie durų. Suskambo telefonas, ir Kazaletas atsiliepė.

— Pone prezidente, čia Alisa Kvarmbi.

— Sveika, Alisa, reikia Bleiko?

— Ne, pone prezidente, man reikia jūsų.

Jos tonas, sakyte sakantis, jog atsitiko kažkas negera, privertė prezidentą įsitempti.

— Pasakok, Alisa.

Kai ji baigė, jis padėjo ragelį ir atsisuko į Bleiką su nuoširdaus skausmo išraiška veide, nes šis žmogus jam daugiau nei patiko; tai žmogus, išgelbėjęs jo mylimos dukters gyvybę, apsaugojęs jį patį nuo pasikėsinimo nužudyti.

Bleikas, vienmarškinis, prisidėjęs priešais save krūvą dokumentų, pasiteiravo:

— Kas nors atsitiko, pone prezidente? Ką pasakė Alisa?

Kazaletas atsistojo, priėjo prie lango ir įsižiūrėjo į lietų. Tada sutelkė visas jėgas ir atsisuko.

— Bleikai, tu esi ištikimas draugas ir vienas šauniausių žmonių, kokius tik pažįstu, bet dabar turiu siaubingai tave įskaudinti. Tačiau ačiū Dievui, kad tai būsiu aš.

Bleikas žiūrėjo suglumęs.

— Pone prezidente?

Ir Kazaletas pasakė jam tą siaubingą žinią.

Baigęs jis paliepė:

— Viskio, Klensi, didelį stiklą.

Klensis tučtuojau nuėjo prie baro ir po sekundės grįžo su stiklu viskio. Jis padavė taurę Bleikui, kuris niūriai žiūrėjo į gėrimą, tada vienu gurkšniu ištuštino ir pastatė stiklą ant stalo.

— Atleiskit, pone prezidente. Mane ši žinia sukrėtė. Nors mudu su žmona buvome išsiskyrę, vis dėlto palaikėme labai artimus ryšius, o dabar aš... Ar galiu paskambinti Alisai?

— Žinoma. Gali pasinaudoti telefonu laukiamajame. Tada pasikalbėsime.

— Dėkoju. — Klensis atidarė duris, ir Bleikas išėjo.

— Klensi, duok cigaretę, — paprašė Kazaletas.

Klensis surado pakelį, iškratė vieną cigaretę ir padavė jam.

— Pone prezidente.

Kazaletas giliai įtraukė dūmus.

— Jos padėjo man išgyventi Vietname, Klensi. Įtariu, kad Bleikui irgi. O tau? Persijos įlankoje?

— Ilgas nuobodžiavimo dienas, kartais paįvairinamas gryno teroro veiksmais? Taip, sere, cigaretė kartais tikrai padėdavo.

Kazaletas linktelėjo.

— Mes visi trys — seni kariai. — Jis atsiduso. — Jis nenusipelnė šito, Klensi. Jei mudu kuo nors galėtume jam padėti, būčiau labai dėkingas.

— Man bus garbė, pone prezidente.

Po dvidešimties minučių papilkėjusiu veidu ir degančiomis akimis sugrįžo Bleikas.

— Ar galiu kuo nors padėti, Bleikai?

— Ne, pone prezidente, išskyrus tai, kad jums leidus, turiu tučtuojau vykti į Niujorką.

Kazaletas pasisuko į Klensį Smitą.

— Paskambink ir pasirūpink, kad paruoštų “Galfstrymą”, tučtuojau.

Kazaletas atsigręžė į Bleiką.

— Mano drauge, ar bent nutuoki, kaip viskas atsitiko?

— Ne, pone prezidente. — Bleikas užsimetė švarką. — Bet ketinu sužinoti. Haris Parkeris man padės. — Jis ištiesė ranką. — Dėkoju už supratingumą, pone prezidente.

Tada apsisuko ir išėjo.

3

Policijos nuovadoje Parkerio kabinete Bleikas išklausė visą istoriją. Kai kapitonas baigė, Bleikas linktelėjo.

— Norėčiau viską išgirsti iš paties Romano, tada norėčiau apžiūrėti vietą, kur viskas atsitiko.

— Prašom. — Parkeris pagriebė telefono ragelį. — Tegu mano mašina po penkių minučių stovi prie įėjimo.

Netrukus jie stovėjo prieplaukoje, prisidengę nuo vis nesiliaujančio kovo lietaus skėčiais, ir žiūrėjo į nešvarų putotą vandenį.

— Ji gulėjo štai čia, netoli laiptelių, — pasakė Parkeris. — Ją pastebėjo naktinis sargas. O aš atsitiktinai ėjau pro šalį.

— Ir tu ją ištraukei.

— Negalėjau palikti jos ten.

Bleikas linktelėjo.

— Važiuokime pas Romano. — Jis nusisuko ir nužingsniavo.

Romano jie rado savo kabinete. Jis gėrė tirštą daržovių sriubą iš plastikinio puodelio, užsikąsdamas prancūzišku batonu. Parkeris supažindino jį su Bleiku.

— Man labai gaila, — tarė Romano.

— Tiesiog papasakokit man tai, ką papasakojot Hariui.

Romano pakluso.

— Taigi ji buvo nužudyta?

— Mano nuomone — kad ir ko ji būtų verta, — taip.

— Bet kodėl? — paprieštaravo Parkeris. — Ir ką tokia gražutė vidutinės klasės atstovė, turinti namą Vilidže, galėjo veikti Brukline? — Kurį laiką visi tylėjo. — Tu neturi vaikų, ar ne, Bleikai?

— Ne. — Bleikas gūžtelėjo. — Negalėjome. Ji buvo sterili, todėl visą energiją skyrė savo karjerai, o aš — savo. Taip mes ir nutolome vienas nuo kito. Bet, nors ir išsiskyrėme, visuomet palaikėme ryšį. Mes labai rūpinomės vienas kitu. — Jis atsigręžė į Romano. — Norėčiau pamatyti kūną.

— Nemanau, kad tai gera mintis.

— Sakau, velniai rautų, kad norėčiau. — Tą minutę Bleikas vėl tapo Vietnamo veteranu.

Parkeris apkabino Romano per pečius.

— Džordžai, manau, turėtume patenkinti jo norą.

— Gerai, tuoj paskambinsiu.

Moteris gulėjo ant stalo, apšviesta baltos ryškios šviesos. Ten, kur Romano siuvo, liko dideli randai. Toks pat randas ėjo aplink galvą.

Bleikas žiūrėjo į ją tarsi į svetimą žmogų. Ši būtybė buvo jo gyvenimo meilė, jo parama sunkiu metu, o dabar...

— Niekada nebuvau per daug religingas, — prabilo jis, — tačiau žmogiška būtybė tokia nepakartojama. Einšteinas, Flemingas, Šekspyras, Dikensas. Negi visų laukia tas pats? O kur Keitė? Čia — ne ji.

— Negaliu jums atsakyti, — tarė Romano. — Esmė, gyvenimo jėga — viskas paprasčiausiai dingsta. Tai viskas, ką galiu pasakyti.

Bleikas lėtai linktelėjo.

— O aš pasakysiu štai ką. Ji nusipelnė kai ko geriau, ir kažkas turi už tai sumokėti. Ir aš pasirūpinsiu, kad taip atsitiktų. — Tardamas paskutinius žodžius, Bleikas nusišypsojo, tačiau toji šypsena privertė Parkerį suvirpėti iš siaubo.

Sugrįžę į Parkerio kabinetą, jie rado žinutę nuo Helenos Abruci.

— Kas naujo? — pasiteiravo jai paskambinęs Parkeris.

— Mes patikrinome Katerinos Džonson namus — į juos buvo įsilaužta.

— Prakeikimas, — burbtelėjo Parkeris. — Gerai, mes netrukus ten būsime. — Jis atsisuko į Bleiką ir viską paaiškino.

— Važiuojam, — tarė Bleikas.

Kai jiedu nuvyko, Helena jau buvo ten.

— Įsilaužimo žymių nėra, tačiau kabinetas viršuje išverstas. Sunku pasakyti, kas buvo paimta.

Ji nuėjo pirma, atidarė kabineto duris ir įžengė. Kambaryje buvo baisi netvarka, ant grindų mėtėsi vaizdo juostos.

— Ar aparatuose kas nors yra?

— Ničnieko. Jokių diskelių, kompiuteryje irgi nieko.

— Tai jau kažkuo kvepia.

— Kažkas kažko ieškojo, Bleikai, tai akivaizdu, ir tikriausiai surado, — tarė Parkeris. — Tik klausimas: ko ir kokiu tikslu? — Jis atsisuko į Abruci. — Ar kriminalistai jau baigė čia? — Ji linktelėjo. — Tada gal galėtum paprašyti savo žmonių, kad peržiūrėtų šias vaizdajuostes ant grindų? Niekad negali visko žinoti. Gal ką nors rasime.

— Aš pasirūpinsiu tuo, sere.

Bleikas pasuko laiptų link.

— Ką dabar darysime? — paklausė Parkeris.

— Važiuosime į "Truth" žurnalo redakciją. Noriu pasimatyti su Keitės redaktoriumi ir sužinoti, kokią medžiagą ji ruošė. Tau nebūtina važiuoti kartu. Turi ir kitų bylų, Hari. Su šia susitvarkysiu pats.

— Kur gi ne, — nenusileido Haris Parkeris. — Važiuojam.

Rupertas O'Daudas, žurnalo redaktorius, buvo pusamžis žurnalistas, visko matęs, visko patyręs ir nelabai tikįs žmogiškąja prigimtimi. Tačiau ir jis pašiurpo, išgirdęs apie Katerinos Džonson žmogžudystę.

— Sakykit, kuo galėčiau padėti?

— Galėtumėt pasakyti, į ką ji buvo įsipainiojusi pastaruoju metu, — tarė Džonsonas. — Ar ji tyrė ką nors ypatinga, ką nors pavojinga?

O'Daudas padvejojo.

— Na, čia kalbama apie žurnalistinę etiką.

— O aš kalbu apie savo žmonos nužudymą, suleidus jai milžinišką dozę heroino, pone O'Daudai. Todėl nežaiskite su manimi, kitaip aš priversiu jus pasigailėti, kad išvis gimėte.

O'Daudas kilstelėjo ranką.

— Gerai jau, gerai, nereikia taip manęs spausti. — Jis giliai įkvėpė. — Ji ruošė medžiagą apie labai svarbų mafijos narį.

Stojo tyla.

— Argi tai jau nepasenęs dalykas? — pagaliau pratarė Parkeris.

— Tik todėl, kad mafija nori, jog jūs taip galvotumėt. Tuoj paaiškinsiu. Žinote valdančiąją jėgą mafijoje? Komisiją? Ji uždraudė gaujų karus Niujorke 1992-aisiais, nes jie susilaukdavo blogų atsiliepimų.

— Ir?

— O pernai jos vėl pradėjo kariauti. Prieš mėnesį rasti penki negyvi Palerme, trys Niujorke, keturi — Londone. Bet šios jau kitokios, užsislaptinusios, nieko negali joms primesti. Mafija legalizavosi. Ji dar nesipuikuoja "Forbes" žurnale, tačiau jų kompanijų struktūros yra pačios galingiausos Europoje. Narkotikų rinka Amerikoje perpildyta, taigi ji persikėlė į Rytų Europą ir Rusiją, tačiau dabar viskas daroma prisidengus gražiu fasadu.

— Tai ką jūs norite pasakyti? — paklausė Bleikas.

— Kad dienos, kai tie vyrukai vaikščiojo apsikarstę auksinėmis grandinėlėmis, jau praėjo. Dabar jie vilki gerais kostiumais ir sėdi šalia jūsų "Keturiuose metų laikuose" ar Dorčesterio Pianino bare Londone. Juos rasi statybos, nuosavybės, laisvalaikio, televizijos verslo srityse. Tik tark žodį, ir jie jau čia.

Stojo trumpa tyla.

— Tai kaip su tuo susijusi mano žmona? — pagaliau tarė Bleikas.

— Kaip jau minėjau, šiomis dienomis svarbiausia yra naujas įvaizdis. Dabar įtakingiausia mafijos grupuotė yra Solaco šeima. Viskam vadovauja toks senas velnias Donas Marko, bet jis turi ir sūnėną Džeką Foksą, pasižymintį ypatingais gabumais. Fokso motina buvo Dono Marko dukterėčia, taigi šaunusis Džekas yra pusiau italas, nors ir vaidina tikrą anglosaksą. Jis dalyvavo Persijos kare, tapo didvyriu, baigė Harvardo teisės mokyklą ir dabar yra tas garbingasis Solaco šeimos veidas.

— Kuo čia dėta Katerina?

— Jai pavyko užmegzti ryšius su Foksu. Ji ketino parašyti seriją triuškinančių straipsnių ne tik žurnalui, bet ir televizijai. — Kiek patylėjęs, O'Daudas tarė: — Ji norėjo parodyti tikrąjį mafijos veidą.

— O tai reiškia — visus Fokso darbelius, — užbaigė Parkeris.

— To jis negalėjo leisti. — Bleikas linktelėjo. — Dabar mes žinome. — Jis atsistojo ir tarė O'Daudui: — Sužaiskim iki galo. Pasitikėkit manim. Duokit mums laiko, ir jūs gausite Keitės pradėtą straipsnį. — Jis ištiesė ranką. — Sutarta?

— Sutarta.

Besileidžiant laiptais, suskambo Parkerio mobilusis telefonas. Jis atsiliepė ir linktelėjo.

— Tuoj būsim. — Tada žvilgtelėjo į Bleiką. — Abruci. Ji peržiūrėjo vaizdajuostes. Klausė, gal norėtum pažiūrėti.

— Kodėl ne? — atsiliepė Bleikas.

Kabinetas Berou gatvėje dabar atrodė tvarkingesnis; vaizdajuostės tvarkingai gulėjo ant lentynų.

— Į viršutines dvi lentynas sudėjau filmus, o į apatines — kalbų kursų ir saviugdos juostas, — tarė Helena. Tada atsisuko į Bleiką. — Viena skirta jums, sere. Būtent ją ir turėjau galvoje.

— Ką norite pasakyti?

— Čia užrašyta: "Bleiko tėvai".

Bleikas minutėlę tylėjo.

— Mano tėvai mirė, kai buvau mažas. Aš jų net neprisimenu. Ir mano žmona žinojo tai geriau nei kas kitas. Būčiau dėkingas, jei įjungtumėt ją, seržante.

Jis atsisėdo, Parkeris atsistojo jam už nugaros, ir ekranas sumirgėjo.

"Bleikai, brangusis, tai tik mano bandymas apsidrausti, jei kas nors atsitiktų. Kaip buvęs FTB pasididžiavimas ir esamas — kad ir kas tu esi Baltuosiuose Rūmuose, žinau, kad vienu ar kitu būdu tu surasi šią juostą." Katerina nusišypsojo. "Aš bandau iškelti į viešumą Solaco šeimą. Donas Marko — tai tarsi Brando "Krikštatėvyje IV" — šaltas, nepajudinamas, dalykiškas, nors atrodo taip, tarsi būtų tavo mylimiausias senelis."

— Jėzau! — sušnabždėjo Parkeris.

"Tačiau Donas Marko — senosios mokyklos mokinys.

Džekas Foksas kitoks. Amerikos liaudies didvyris ir auksinis Vol Stryto berniukas. Gali pagalvoti, kad jis priklauso Bostono aristokratams, tačiau tėra šaltakraujis psichopatas — blogesnis už juos visus. Pasimaišyk jam po kojomis, ir tu negyvas. Bet aš ketinu pričiupti jį! Užliūliuosiu jį pirmuoju straipsniu, o tada — am! Jis taip ir nesužinos, iš kur tas smūgis".

Bleikas trenkė kumščiu per stalą, ir Helena Abruci sustabdė juostą.

— Ką, velniai rautų, darote?

— Duodu galimybę giliai įkvėpti. Ir ketinu surasti jums ko nors išgerti. Pasitikėkit manim, sere.

Parkeris uždėjo jam ant peties ranką.

— Ji teisi, Bleikai.

Helena Abruci sugrįžo su stiklu.

— Degtinė, daugiau nieko neradau. Ji buvo šaldytuve.

— Būtent tai, ką ji mėgo, atšaldyta degtinė. — Bleikas ištuštino stiklą. — Gerai, tęsiam.

Ekranas vėl sumirgėjo.

"Man labai pasisekė. Suradau tokį vyruką, Semį Gofą — jis tvarkė Džeko Fokso buhalteriją. Puikus vyrukas, gėjus ir serga AIDS, todėl Foksas jį ir išmetė. Vieną dieną pietavau su Foksu Manhetene. Jis išėjo anksčiau, ir tada prie manęs priėjo Gofas.

— Jūs atrodote puiki moteris, — tarė jis, — taigi pasisaugokite. Jis jums netinka."

Fone suskambėjo telefonas, ir Katerina nuėjo atsiliepti. Po minutėlės ji sugrįžo.

"Ką gi, Gofas miršta, todėl yra piktas. Aš apdorojau jį trimis martinio taurėmis, ir jis suminkštėjo. Tai, ką jis papasakojo man, yra labai svarbu. Jis davė man raktą. Foksas — šeimos veidas. Sumanus, labai protingas, tačiau vis trokštantis daugiau. Jis pabandė žaisti šeimos pinigais ir pralošė juos, ypač kai prasidėjo Azijos krizė. Kiek apie tai žino Donas, aš nežinau. Jis vis praslysta, nes yra atsakingas už svarbiausią Solaco šeimos kazino Londone, Koliziejų. Jame vykstanti grynų pinigų apyvarta jam gyvybiškai svarbi. Nes jis negali visą laiką melžti iš šeimos, o asmeninė grynų pinigų apyvarta padeda jam nenuskęsti. Brukline yra sandėlis, vadinamas Hadlėjaus saugykla. Jame jie laiko viskį. Pigų viskį. Gėralas atskiedžiamas vandeniu, tada pelningai parduodamas klubams".

— Negaliu patikėti, kad Donas Marko to nežino, — tarė Parkeris.

Bleikas parodė jam nutilti, ir Katerina tęsė.

"Kita gija yra ta, kad Londone jis susijęs su gerai žinomais gangsteriais — broliais Džago. Jų specializacija — ginkluoti įsilaužimai ir panašūs darbeliai, kurie, kaip sako Semis Gofas, garantuoja grynus pinigus. Foksą smaugia blogos investicijos Tolimuosiuose Rytuose. Dar geriau — jis irgi įsipainiojęs į prekybą ginklais, ypač su Airijos Republikos kariuomene. Jis padėjo tokiam Brendanui Merfiui, užkietėjusiam kompromisų priešininkui, kuriam nepatinka taikos procesas, ne tik nusipirkti ginklų, bet ir pastatyti betoninį bunkerį Laufo grafystėje, Airijos Respublikoje. Jame galima rasti visko — nuo minosvaidžių iki tokių automatinių ginklų, kurie gali apšaudyti armijos sraigtasparnius. O, ir daugybę semteksų."

— Dieve mano, — tyliai ištarė Helena Abruci.

— "Gofas sakė, kad per Merfį Foksas kažkaip susijęs su Beirutu. Ginklai Sadamui ir visa kita. Apie tai jis nelabai ką žinojo. Dar Semis sakė, kad Foksas neturi Londone namo. Paprastai jis apsistoja Dorčesterio viešbutyje, nors turi kitą silpnybę — seną pilį ir žemes Kornvalyje, Anglijoje. Ji labai nuošali. Tikėsi ar ne, bet ji vadinasi Pragaro žiotys. Kažkur netoli Žemės krašto".

Fone vėl suskambo telefonas. Ekrane atsirado trukdžiai, ir Katerina dingo iš ekrano. Netrukus ji vėl pasirodė.

— "Tai velniška istorija, ačiū Semiui Gofui. Bet kad ir kaip norėčiau iškelti viską į viešumą, Bleikai, gyvenimas yra toks dalykas, kad nieko negali žinoti. Kitą dieną vargšelį girtą Semį partrenkė mašina. Vairuotojas pabėgo. Ar tai atsitiktinumas? Aš taip nemanau. Jis tiesiog per daug žinojo".

Ekranas subangavo, ir Katerinos balsas trumpam užlūžo. Netrukus viskas susitvarkė, ir ji plačiai nusišypsojo.

— "Tai štai kaip, mano brangusis Bleikai. Norėčiau tikėti, kad visada laimi gerieji, bet kartais gyvenimas būna toks niekingas. Jei dabar tu tai žiūri, vadinasi, šį kartą laimėjo blogiečiai". — Šypsena minutėlei išnyko, tada vėl pasirodė, tik jau nebe tokia plati. — "Pasirūpink savimi ir nepamiršk, kad nepaisant nieko, aš visuomet tave mylėjau".

Helena Abruci išjungė televizorių. Bleikas patamsėjusiomis akimis žvelgė į ekraną.

— Dėkoju, kad parodėte man tai, seržante.

— Tai įrodymas, sere.

— Padaryk jam kopiją, — paliepė Parkeris.

Bleikas atsistojo ir nuėjo prie lango. Po kurio laiko jis atsisuko ir tarė:

— Gerai, Hari, suorganizuok man susitikimą su tuo niekšu.

— Man reikės pasikalbėti su apylinkės prokuroru.

— Kad ir su Popiežiumi, jei reikės, bet aš noriu pasimatyti su Džeku Foksu.

— Galbūt nereikėtų taip skubėti, — patarė jam Abruci.

Bleikas išsitraukė iš kišenės lapą popieriaus ir išlankstė jį.

— Jūs dar nematėte šito, seržante. Haris jau matė. Tai prezidento įgaliojimas. Jūs priklausote man, o ne Niujorko policijai, Haris irgi. Taigi prie darbo.

Kitą rytą Parkerio biuikas sustojo prie "Plazos" viešbučio. Ant galinės sėdynės sėdėjo simpatiška, dailiai apsirengusi keturiasdešimtmetė, laikydama prie kojų lagaminėlį.

Bleikas atsisėdo priekyje, ir Parkeris supažindino juos:

— Apylinkės prokuroro padėjėja Madži Makgair.

Jiedu paspaudė vienas kitam rankas, ir mašina pajudėjo.

— Kaip suprantu, jūs iš FTB, pone Džonsonai.

— Aš ten nebedirbu. — Jis pažiūrėjo į Parkerį. — Ar tu jai pasakei?

— Kaip galėjau?

Bleikas išsitraukė prezidento įgaliojimą ir padavė jai. Madži Makgair perskaitė jį.

— Jėzau Kristau.

Ji grąžino lapą, ir Bleikas įsikišo jį į kišenę.

— Taigi ką jūs manote?

— Kad mes veltui švaistome laiką. Velniai griebtų, pone Džonsonai, mes visi žinome tiesą, tačiau negalime to įrodyti. Pats pamatysite — Foksas elgsis it mielaširdingumo įsikūnijimas: kuo galės, tuo padės, bet kai baigsime, nebūsime nė per nago juodymą pasistūmėję į priekį. Beje, ten bus ir jo advokatas, Karteris Vilanas. Jis tikra gyvatė.

— Puiku.

— Gerai. Mane šis raštas įgalioja, bet leiskite man dirbti savo darbą, pone Džonsonai.

— Maloniai prašom.

Kai jie nuvyko, Foksas, vilkįs nepriekaištingai pasiūtu tamsiai mėlynu kostiumu, sėdėjo už stalo. Į viršų sušukuoti plaukai neslėpė dailaus veido. Šalia jo sėdėjo mažas plinkantis juodu kostiumu vilkįs advokatas Karteris Vilanas.

— Aš esu Madži Makgair, apylinkės prokuroro padėjėja, o čia kapitonas Haris Parkeris.

— Malonu susipažinti, panele Makgair. Esu tikras, kad pažįstate mano advokatą Karterį Vilaną. Ir neabejoju, kad žinote, jog ir pats esu teisininkas. Ar galiu paklausti, kas tas kitas ponas?

— Bleikas Džonsonas, irgi advokatas, — atsiliepė Bleikas. — Atrodo, jūs pažinojote mano žmoną.

— Jis neturi teisės čia būti, — pašoko Vilanas.

Įsikišo Foksas.

— Aš neprieštarauju. Mane labai sukrėtė netikėta Katerinos Džonson mirtis. Priimkite mano užuojautą.

— Įrodymai rodo, kad ponios Džonson mirtis nebuvo atsitiktinė. Ar galite mums padėti šiame reikale, sere? — paklausė Parkeris.

— Džekai, tau nebūtina atsakinėti į tokius klausimus, — priminė jam Vilanas.

— Kodėl ne? — Foksas truktelėjo pečiais. — Aš neturiu ko slėpti. Pažinojau Kateriną Džonson, daviau jai interviu, ir ji parašė apie mane straipsnį žurnalui “Truth”. Jis naujausiame numeryje. Tiesą sakant, jaučiuosi labai pamalonintas.

— Išskyrus užuominas apie Solaco šeimą.

— Kaip gerai jūs ją pažinojote, sere? — paklausė Parkeris.

— Pažinojau ją gerai, — atsakė Foksas.

— Kaip gerai?

Foksas, rodės, kovoja pats su savimi.

— Na gerai, mes turėjome trumpą romaną. Jis truko tik

keletą savaičių, ir aš nenorėjau to minėti, nes nenoriu sugadinti jos reputacijos. Dėl Dievo meilės, juk ji mirusi.

Tai buvo įspūdingas spektaklis.

— Ar esate matęs ją vartojant heroiną? — pasiteiravo Madži Makgair.

Foksas vėl padvejojo, atsistojo, nuėjo prie lango, tada atsigręžė su mąslia veido išraiška.

— Taip, kartą. Sugavau ją jos bute. Aš buvau priblokštas, bandžiau atkalbėti. Ji pasakė ką tik pradėjusi ir pažadėjo liautis, bet... Atrodo, ji taip ir nesiliovė.

— Matyt, ji buvo nelabai įgudusi ir netyčia susileido per daug arba turėjo itin pavojingą mišinį, — pridūrė Vilanas.

— Bet čia kai kas neatitinka, — tarė Parkeris.

— Tai neturi nieko bendra su mano klientu. — Vilanas atsisuko į Madži Makgair. — Ar mes jau baigėme?

— Taip, — atsiliepė Madži. — Šį kartą. Dėkojame už bendradarbiavimą.

Ji atsistojo, ir Foksas neiškentė:

— Negi ponas Džonsonas neturi ką pasakyti?

Bleikas pabalęs, patamsėjusiomis akimis atsistojo.

— Nelabai. Čia viskas ir taip ganėtinai aišku, — ir apsisukęs išėjo.

Automobilyje Madži tarė:

— Jokios bylos čia nebus, žmonės. Net neverta jos kelti. Jis ką tik pateikė trūkstamus paaiškinimus — ji buvo naujokė, nemokėjo elgtis.

— Bet jei ji būtų leidusis anksčiau, juk būtų likę nors kokių žymių?

— Nebūtinai, jei ji tai darė tik keletą kartų. Vilanas išjuoktų tai teisme, pone Džonsonai. Tai aiškus nusikaltimas, ir mes galbūt nė pusės nežinome to, kas atsitiko, tačiau nieko negalime įrodyti, — pasakė Madži.

— Kuo labiau senstu, tuo sunkiau. — Parkeris papurtė galvą. — Aš jau pakankamai seniai esu policininkas, kad užuosčiau smarvę, o šis reikalas tikrai smirda.

Bleikas prisidegė cigaretę ir atsilošė.

— Tai kaip tada teisingumas?

— Ką jūs norite pasakyti? — paklausė Madži.

— O kas, jei bylos nebus ir niekas nebus nubaustas? Ar kas nors turi teisę paimti teisingumą į savo rankas?

— Aš žinau tik viena, — tarė Parkeris. — Tai, ko jie imsis, tikrai nebus teisingumas.

— Ko gero, ne.

— Ką ketini daryti, Bleikai?

— Grįžti į Vašingtoną. Pasimatyti su prezidentu. Suruošti laidotuves.

Mašina sustojo ties viešbučiu. Bleikas paspaudė ranką Parkeriui ir atsisuko į Madži.

— Labai ačiū, panele Makgair.

Jis išlipo iš mašinos ir patraukė į viešbutį. Kai automobilis pajudėjo, Madži tarė:

— Ar tu galvoji tai, ką ir aš, Hari?

— Jei turi galvoje "Dieve, padėk Džekui Foksui", tada — taip.

Savo kabinete Foksas laukė, kol jam atneš Bleiko Džonsono bylą. Pagaliu sulaukė ir pradėjo skaityti, kai į duris pasigirdo beldimas ir kyštelėjo Falkonės galva.

— Tiesiog norėjau pasitikrinti, sinjore. Gal galiu kuo padėti?

Foksas ištiesė jam spausdintą medžiagą. Falkonė permetė akimis.

— Čia tai bent.

— Tai jau tikrai. Karo didvyris, FTB, sužeistas gelbėjant prezidentą. Bet toliau — balta dėmė. Ką jis veikė pastaruoju metu? Teks pakrutinti savo geriausius žmones, kad sužinočiau.

— Ar jis kelia grėsmę?

— Žinoma, kelia. Jis nė minutėlei nepatikėjo tuo, ką sakiau apie jo žmoną. Aldo, esu žiūrėjęs priešams į akis Irake ir žinau, ką mačiau Bleiko Džonsono akyse. Jose nesimatė jokio įniršio, tik kerštas. Jis ateis, ir mes turime būti pasiruošę.

— Visuomet, sinjore.

Falkonė išėjo, o Foksas priėjo prie lango ir įsistebeilijo į šlapdriboje paskendusį Manheteną. Keista, jis nė kiek nebijojo. Jis nekantravo.

4

Priėjimui prie kompiuterių Foksas turėjo nepriekaištingą šaltinį: senstančią damą, vardu Mod Džekson. Prieš išeidama į pensiją, ji buvo komunikacijos mokslo profesorė — ir užkietėjusi lošėja. Mielai žydei našlei, gyvenančiai Kraun Haitse, nuolat trūkdavo pinigų, nes ji buvo labai patikli ir mėgėja palošti.

Foksas paskyrė jai pasimatymą vietiniame bare. Kol jis pasakojo jai apie Bleiką Džonsoną, ji čiulpė cigaretę ir gėrė šabli.

— Reikalas tas, kad to vyruko byloje — balta dėmė.

— Kaip ir kiekvieną kelio kliūtį, Džekai, tai galima apeiti.

— Būtent, ir kas gi kitas, jei ne tu, padarytum tai geriausiai?

— Taip pagirta padaryčiau bet ką, bet jei tas vyrukas dirbo FTB ir jo bylose balta dėmė, tada reikalas rimtas.

Ji išsitraukė dar vieną cigaretę, ir jis pridegė jai, bjaurėdamasis retėjančiais raudonai dažytais plaukais, senomis klastingomis akimis. Bet ji buvo genijus.

— Gerai, Mod, sumokėsiu tau dvidešimt tūkstančių.

— Dvidešimt penkis, Džekai, ir man bus malonu tau padėti.

Jis linktelėjo.

— Sutarta. Tik yra viena problema. Man to reikėjo vakar.

— Jokių problemų. — Ji užsivertė taurę su vynu, atsistojo ir linktelėjo į Falkonę. — Jei tas gorila parvežtų mane namo, tučtuojau imčiausi darbo.

Falkonė meiliai nusišypsojo.

— Su malonumu, sinjora.

Sugaišusi ne daugiau kaip tris valandas, Mod pagaliau

prasiveržė: štai jis, Bleikas Džonsonas, buvęs FTB agentas, dabar prezidentūros pogrindžio direktorius — o tame pogrindyje ištisas lobynas. Prezidento asmeninė graikų brigada ir labai įdomus ryšys su Londonu. Atrodo, kad tas Džonsonas jaučiasi labai patogiai su britų ministro pirmininko asmeninės žvalgybos uniforma, kuriai vadovauja brigadininkas Čarlis Fergiusonas. Jį remia buvęs ARK vykdytojas Šonas Dilanas. Mod rado viską: jų praeitį, adresus, telefonus. Ji paskambino Foksui ir paprašė, kad ją sujungtų.

— Džekai, čia Mod.

— Ar jau turi ką nors?

— Džekai, aš nežinau, kas čia vyksta, bet tai, ką turiu, yra tikras dinamitas, todėl nejuokauk su manim. Atsiųsk Falkonę su trisdešimčia tūkstančių grynais.

— Mes susitarėme dėl dvidešimt penkių, Mod.

— Džekai, tai, ką turiu, įdomiau už naktinį filmą. Patikėk, tai verta papildomų penkių.

— Gerai. Atsiųsiu jį po valandos.

— Ir, Džekai, — jokių grubių žaidimų.

— Nebūk kvaila. Tu per daug svarbi.

Po pusantros valandos Falkonė sugrįžo su atspausdinta medžiaga. Tik Foksas nežinojo, kad Falkonė pakeliui stabtelėjo ir pasidarė dar vieną kopiją.

Foksas persiskaitė apie Džonsono praeitį, ryšius su Londonu, apie Fergiusoną, Dilaną, peržiūrėjo kompiuterines nuotraukas ir papurtė galvą.

— Dieve mano.

— Rūpesčiai, sinjore?

— Ne, tik ganėtinai stulbinanti informacija. Ta sena kalė gerai pasidarbavo. Perskaityk.

Falkonė jau buvo perskaitęs, tačiau apsimetė skaitąs dar kartą. Tada linktelėjo ir nieko nesakančiu veidu grąžino lapą.

— Įdomu.

Foksas nusijuokė.

— Tikrai. Tas Dilanas. — Jis palingavo galvą. Koks meilutis. Bet vis tiek naudinga žinoti, su kuo gali tekti susiremti.

— Žinoma.

— Gerai. Gali eiti. Paimk mane aštuntą vakarienei.

Falkonė išėjo ir po valandos jau beldėsi į buto Tramp Taueryje duris. Senasis Donas susidomėjęs perskaitė medžiagą ir pasitikrino nuotraukas.

— Gerai padarei, Aldo.

— Dėkoju, Donai Marko.

— Jei dar ką sužinosi, iškart pranešk man.

Jis ištiesė ranką, ir Falkonė pabučiavo ją.

— Kaip visuomet.

Brigadininko Čarlio Fergiusono kabinetas buvo trečiame Gynybos ministerijos aukšte, su langais, išeinančiais į Kavalerijos aveniu Londone. Jis pats — stambus, netvarkingas vyras susiglamžiusiu kostiumu ir kavaleristo kaklaraiščiu, sėdėjo už stalo, įnikęs į krūvą dokumentų.

Suskambo vidaus telefonas, ir jis nuspaudė mygtuką.

— Ar Dilanas čia?

Moteriškas balsas atsiliepė:

— Taip, sere.

— Gerai. Įeikite.

Durys atsivėrė. Įėjusioji buvo maždaug trisdešimties, trumpai kirptais raudonais plaukais, gelsvai rudu kostiumėliu ir akiniais. Tai buvo vyresnioji inspektorė Hana Bernštain iš Specialiojo skyriaus, paskirta Fergiusonui kaip jo padėjėja. Daugelis, suklaidinti išvaizdos, neįvertino jos ir vėliau labai gailėjosi. Jos sąskaitoje jau buvo keturi negyvėliai.

Vyras už jos nugaros buvo neaukštas, beveik baltais plaukais. Jis dėvėjo seną odinį švarką, tamsias rumbuoto pliso kelnes ir baltą šalikėlį. Jo akys atrodė bespalvės, tačiau lūpose žaidė neišnykstanti šypsena, sakanti, kad į gyvenimą jis nežiūri per daug rimtai. Kažkada buvęs aktoriumi, vėliau aršiausiu ARK vykdytoju, dabar jis dirbo vadinamajai ministro pirmininko privačiai armijai.

— Kas ką girdėjote? — paklausė Fergiusonas. — Vis sklando gandai apie slaptus Airijos Respublikos kariuomenės ginklų sandėlius, tačiau niekas nieko nežino konkrečiai. Šonai?

— Ničnieko, — atsakė Dilanas.

— Tai ką darysime, sere? — pasiteiravo Hana Bernštain.

Ant Fergiusono stalo suskambo telefonas. Fergiusonas atsiliepė ir jo veide atsirado nuostaba.

— Taip, sere. Žinoma... ką gi, ar norėtumėt pasikalbėti su juo pats? Jis čia... Vieną minutėlę. — Jis ištiesė ragelį Dilanui. — Su tavimi nori kalbėtis prezidentas Kazaletas.

Dilanas nustebęs susiraukė ir paėmė telefoną.

— Pone prezidente?

— Noriu pasakyti tau blogą žinią, mano airiškasis drauge, susijusią su Bleiku Džonsonu. Tiesiog paklausyk...

Po kelių minučių Dilanas perpasakojo naujienas Fergiusonui ir Hanai Bernštain. Jis nuėjo prie lango, pasižvalgė ir atsisuko.

— Laidotuvės poryt. Aš važiuoju, brigadininke.

Fergiusonas kilstelėjo ranką.

— Šonai, mes visi trys su Bleiku Džonsonu praėjome pragarą ir vėl sugrįžome. Važiuosime visi. — Jis atsisuko į Haną. — Užsakyk lėktuvą.

Katerinos Džonson laidotuvės krematoriume buvo labai tylios. Iš magnetofono sklido tariamai religinė muzika, o pastorius, kuris atrodė taip, tarsi būtų pasiskolinęs kostiumą iš televizijos garderobo, kalbėjo banalybes.

Fergiusonas, Dilanas ir Hana atvyko per ceremonijos vidurį, kaip tik tada, kai karstas įslydo pro plastikinę uždangą. Laidotuvėse dalyvavo tik laidotuvių biuro ir žurnalo redakcijos darbuotojai. Bleikas susimokėjo, atsisuko ir pamatė draugus. Jo veidas pasakė viską.

Hana Bernštain priėjusi apkabino jį, Fergiusonas paspaudė ranką, tik Dilanas ramiai stovėjo nuošaly. Jis nulenkė galvą ir išėjo laukan.

Jie sustojo ant laiptų po pliaupiančiu lietumi, ir Dilanas prisidegė cigaretę.

— Girdėjau, ką pasakė prezidentas, o dabar noriu viską išgirsti iš tavęs. Tu ne kartą gelbėjai man gyvybę, aš gelbėjau tavąją. Tarp mūsų negali būti jokių paslapčių, Bleikai.

— Ne, Šonai, jokių paslapčių.

— Tad paimkime brigadininką ir Haną, eime į limuziną ir tu papasakosi viską, kaip yra iš tiesų.

Bleikas papasakojo jiems viską, netgi tai, ką Katerina buvo įrašiusi į vaizdo juostą. Kurį laiką visi tylėjo.

— Mano nuomone, blogiausia yra ryšiai su ARK ir tie Brendano Merfio darbeliai, — prabilo Fergiusonas, purtydamas galvą. — Taip pat Beirutas su Sadamu. Mes turime kažką daryti. — Jis atsigręžė į Haną. — Ką manote, inspektore?

— Tas Foksas turi problemų. Jis nugvelbė pinigų iš komisijos, jis sukčiauja Londono kazino, Koliziejuje. Beirutas ir Airija irgi rodo jo beviltišką bandymą prasimanyti grynųjų.

— O tie apiplėšimai kartu su broliais Džago dar beviltiškesni, — pridūrė Dilanas.

— Tu juos pažįsti? — paklausė Fergiusonas.

— Ne, bet esu tikras, kad Haris Solteris juos pažįsta.

— Solteris?

— Jūs žinote, jį, sere, — tarė Hana. — Londono gangsteris ir kontrabandininkas. Turi aludę Vopinge, kuri vadinasi “Tamsos žmogus”.

— A, dabar prisiminiau, — tarė Fergiusonas.

— Jam priklauso sandėliai prie Temzės. Dar jis gabena iš Europos alkoholį ir cigaretes.

— Bet neužsiima jokiais narkotikais ar prostitucija, — priminė jai Dilanas.

— Taip, senamadiškas gangsteris. Kaip miela. Jis šaudo savo varžovus tik būtinu atveju.

Dilanas patraukė pečiais.

— Na, tai jų bėda, kad jie irgi gangsteriai. Esu tikras, kad jis padės mums su broliais Džago ir Foksu. Be to, jis turi gerą komandą — savo sūnėną Bilį Solterį, Džo Baksterį ir Semą Holą.

— Dilanai, šie žmonės — nusikaltėliai, — tarė Hana.

— Palyginti su Džeku Foksu, jie mieli ir nekalti. — Dilanas šyptelėjo. — Nebent jei smarkiai juos prispaustume — tada jie taptų baisiausiu Fokso košmaru.

Trumpam visi nutilo.

— Ką gi, pažiūrėsim, — prabilo Fergiusonas. — Pasikalbėsime apie tai pakeliui į Londoną.

— Tik ne su manim, brigadininke. Aš jau dvejus metus neatostogavau. Manau, kad pats metas.

— Šonai, tu juk neketini pasiduoti vienam iš savo nuotaikos antplūdžių, a? — paklausė Fergiusonas.

— Negi aš panašus į tokį, brigadininke? — jis pakštelėjo Hanai į žandą. — Važiuokit. Pasimatysime Londone. Aš grįšiu su Bleiku.

Ji susiraukė.

— Paklausyk, Šonai...

— Darykit, ką sakau, — atšovė jis, nusisuko ir nuėjo į Bleiko Džonsono limuziną.

Pakeliui į Manheteną Dilanas uždarė stiklinę pertvarą.

— Kaip suprantu, mes ketiname ištaršyti Džeko Fokso plunksneles.

— Tu sakai "mes"?

— Nesipūsk, Bleikai. Jei ketini žaisti tu, žaidžiu ir aš — daugiau jokių priežasčių nereikia.

— Niekas neturėtų mirti taip, kaip ji, Šonai. Ar gali įsivaizduoti? Tamsią, lietingą naktį krantinėje? Kai tau per prievartą suleidžia milžinišką narkotikų dozę? — Jis papurtė galvą. — Aš nusiųsiu Foksą į pragarą, ir nebandyk man pasakoti apie teisingumą ir panašų mėšlą. Aš jį pričiupsiu, kad ir ką turėčiau padaryti, todėl geriau nesikišk.

Dilanas pakėlė pertvarą ir tarė vairuotojui.

— Stabtelėk penkioms minutėms ir duok mums skėtį.

Vairuotojas padarė kaip prašytas; Dilanas išlipo ir išskleidė didžiulį skėtį Bleikui. Jiedu atsistojo prie sienos ir įsižiūrėjo į Yst upę. Dilanas užsirūkė.

— Žinai, Bleikai, tu esi tas gyvenimo geruolis, o Džekas Foksas — blogietis.

— O tu, Šonai, kas esi tu?

Dilanas atsuko į jį bereikšmį veidą.

— O aš jo blogiausias košmaras, Bleikai. Dvidešimt penkerius metus dalyvavau tame, kas vyksta tarp britų ir airių. Foksas ir jo suknista mafija mano, kad jie labai kieti. Žinai, ką aš tau pasakysiu? Jie nė penkias minutes neišsilaikytų Belfaste.

— Tai ką tu nori pasakyti?

— Mes pašalinsime tą gyvulį, tačiau taip, kaip pasakysiu aš. Per daug paprasta nušauti jį tiesiog gatvėje. Noriu, kad tai būtų lėta ir skausminga mirtis. Ms žingsnis po žingsnio naikinsime tą apgailėtiną jo imperiją, kol neliks nieko. O tada sunaikinsime ir jį patį.

Bleikas lėtai šyptelėjo.

— Man tai patinka. Kur pradėsime?

— Pasak Katerinos, Brukline jis turi tą pigaus viskio sandėlį.

— Taigi?

— Taigi pradėkime nuo jo.

— Tu rimtai?

— Žinoma. Tik mudu.

Bleiko veidas iš susijaudinimo išblyško.

— Tu tikrai kalbi rimtai?

— Tai pradžia, mano sūnau.

— Tada tepadeda mums Dievas.

Hadlėjaus saugykla buvo šalia prieplaukos, netoli Klarko gatvės Brukline. Buvo vienuolikta valanda vakaro, lijo šaltas kovo lietus, kai Dilanas su Bleiku privažiavo senu fordu ir sustojo šalikelėje.

Išlipę jie susigūžė palei sieną. Bleikas prisidegė cigaretę ir apsižvalgė.

— Neturėtų būti sunku, — tarė jis. — Tu, aš ir daugiau nieko. Vienas du, ir baigta. Bet atmink viena, Šonai. Nenoriu jokių aukų.

— Jokių problemų. Jei čia yra naktinė pamaina, neliesime jos. Jei yra tik apsauga, susitvarkysime su ja. Čia bus tik viena auka, Bleikai: Džekas Foksas ir jo pelnas iš alkoholio! — Jis nusijuokė ir kumštelėjo Bleikui į petį. — Ei, pasitikėk manim. Viskas bus gerai.

Kitą dieną Bleikas peržiūrėjo visus miesto ir policijos pranešimus, norėdamas sužinoti, kas rašoma apie Hadlėjaus saugyklą. Kai per pietus mažame italų restorane jis susitiko su Dilanu, jautėsi vėl stiprus — matyt, todėl, kad matė pabaigą.

— Keista, bet toji vieta niekur neminima. Policijos pranešimuose apie ją net neužsimenama.

— Tai reiškia, kad Foksas protingas niekšelis. Ar žinai, kaip ji veikia?

— Žinau, kokia apsaugos firma ją saugo. Saugyklą saugo du žmonės. Kita vertus, jei tas sandėlis ne toks, koks turi būti, kas žino? Jame gali būti naktinė pamaina.

— Pažiūrėsim. — Dilanas nusišypsojo it pats šėtonas. — Daugiau nedelsime, Bleikai. Eisime ir sunaikinsime tą vietą. Duosime Foksui peno apmąstymams.

— Kada?

— Šiąnakt, dėl Dievo meilės.

— Tu teisus. Velniop jį, — pritarė Bleikas.

Kai jie senu fordu atvažiavo prie saugyklos, buvo jau vidurnaktis. Bleikas sustabdė mašiną prieš posūkį. Jie abu mūvėjo tamsias kelnes ir vilkėjo megztinius. Dabar, sėdėdami mašinoje, užsitraukė ant veidų slidininkų kepures, Dilanas išsiėmė iš krepšio brauningą ir užsikišo už diržo.

— Paimk tą kitą krepšį, — paliepė jis Bleikui. — Su Semtekso pieštukais. Judam.

Saugyklą juosė devynių pėdų siena. Dilanas sunėrė rankas, padėjo perlipti Bleikui, permetė krepšį, tada įsikibo į ištiestą ranką ir persiropštė pats. Vos perlipus, pradėjo lyti.

— Gerai, pradedam, — tarė Dilanas.

Kieme iš tiesų buvo nedidelė apšviesta sargų būdelė. Dilanas ir Bleikas tyliai įslinko pro fabrikėlio duris, kurios, jų nuostabai, buvo paliktos atviros. Viduje jie pamatė įvairiausią įrangą — cisternas, krūvas butelių, kurių dauguma buvo su egzotiškomis etiketėmis.

Dilanas pastvėrė vieną.

— Hailand Praid Old Skots viski.

— Patikėjęs tuo, gali patikėti viskuo, — atsiliepė Bleikas.

— Ką gi, imamės darbo.

Dilanas atidarė krepšį, kabantį jam ant peties. Jis išsitraukė keletą semtekso pieštukų ir skubiai išdėliojo juos sandėlyje.

— Kiek turime laiko? — paklausė Bleikas.

— Dešimt minučių. Sutvarkom sargybinius ir varom.

Du apsaugos darbuotojai žaidė kauliukais, kai atsidarė durys ir į kambarį įtykino du vyrai su gobtuvais. Dilanas akimirksniu nuginklavo juos.

— Jei norite gyventi, kuo greičiau sprukite į gatvę.

Jie nesiginčydami pakluso ir po kelių minučių jau buvo už vartų. Netrukus sprogo semtekso taimeriai, ir cisternos su viskiu užsiliepsnojo.

Dilanas sugriebė arčiau stovinčiam apsauginiui už rankovės.

— Paklausyk, ką pasakysiu. Tai ne policijai. Tai Džekui Foksui. Pasakyk jam, kad tai tik pradžia — už Kateriną Džonson. Supratai? Gerai, dabar dumk.

Taip jie ir padarė.

Dilanas su Bleiku pavažiavo tolėliau ir sustojo, stebėdami liepsnas ir laukdami gaisrininkų.

— Keista, bet aš nesijaučiu kaltas, — tarė Bleikas.

— Kodėl turėtum? Foksas yra niekšas ir žudikas.

— Aš dirbu prezidentui, Šonai. O tu — ministrui pirmininkui.

— Man nusispjaut. Vienaip ar kitaip, mes pričiupsime Foksą.

Kitą rytą Džekas Foksas sulaukė skambučio iš Dono Marko, kviečiančio atvykti į Tramp Tauerį. Senis gurkšnojo kavą palei židinį.

— Girdėjau, buvo nekokia naktis, Džekai.

Foksas padvejojo, tada nusprendė, kad geriausia bus pasakyti dalį tiesos.

— Taip, dėde. Viskas sudegė. Ačiū Dievui, kad fabrikėlis buvo apdraustas.

— Bet tik jo įrengimai, Džekai, o ne tie milijonai iš alkoholio. — Donas papurtė galvą. — Didelė nesėkmė. Nors visko pasitaiko. Ar turi ką pridurti? Ką nors, ką norėtum papasakoti man?

Foksas vėl padvejojo, tada atsakė:

— Ne, dėde.

— Puiku. Tada iki pasimatymo.

Foksas išėjo. Po kurio laiko galvą kyštelėjo Falkonė.

— Donai Marko.

— Jis išėjo?

— Taip.

— Gerai. Atvesk tą apsauginį. Mano sūnėnas pamiršo pasakyti apie jį, Aldo.

— Jis to pasigailės, sinjore.

— Bet tu pasakei, Aldo, ir aš labai dėkingas.

Jis įsipylė dar vieną puoduką kavos, ir po minutėlės Aldo įvedė apsaugos darbuotoją.

— Tavo vardas? — paklausė Donas Marko.

— Mirabela, sinjore.

— Gerai, tautietis. Dabar pasakok, kas atsitiko.

Ir Mirabela papasakojo.

— Pakartok, ką jis pasakė, tas vyras su gobtuvu, — paliepė Donas Marko.

Mirabela gniaužė rankose kepurę.

— Jis pasakė: "Tai ne policijai. Pasakyk Džekui Foksui, kad tai tik pradžia. Už Kateriną Džonson".

— Gerai, dėkoju. — Donas Marko žvilgtelėjo į Falkonę. — Pasirūpink juo, tada sugrįžk.

Falkonė sugrįžo maždaug po dvidešimties minučių. Donas stovėjo prie lango, vartydamas rankoje kubietišką cigarą. Falkonė pasiūlė pridegti. Donas Marko nusišypsojo.

— Tu geras vyrukas, Aldo. Tavo tėvas buvo vienas patikimiausių mano žmonių, kol tas kiaulė Vireli nenužudė jo kelionės į Palermą metu. Jis buvo visada ištikimas, o ištikimybė yra viskas.

— Žinoma, Donai Marko.

— Bet kurgi toji ištikimybė? Tu ir mano sūnėnas, judu buvote vaikystės draugai.

— Prašau, Donai Marko. — Falkonė kilstelėjo ranką. — Mano ištikimybė jums yra aukščiau už viską.

Donas Marko patapšnojo jam per krūtinę.

— Tu man tikra paguoda. Vykdyk Džeko reikalavimus — apie tai nėra nė kalbos, — bet pasakyk man viską, kas vyksta. Juk padarysi taip, Aldo?

— Visuomet, sinjore.

— Gerai. Dabar eik.

Džekas Foksas sėdėjo "Keturių metų laikų" grilio salėje, gėrė šampaną ir bandė suvokti, kas atsitiko praeitą naktį. Ypač jį sunervino pokalbis su Mirabela, ir jis dėl aiškių priežasčių jo nepaminėjo dėdei. Falkonė ir Ruso stovėjo atsirėmę į sieną.

Priėjo padavėjas.

— Sere, jūsų svečiai jau čia.

— Mano svečiai? — Foksas pakėlė galvą ir pamatė Dilaną su Bleiku.

Falkonė žengtelėjo į priekį, bet Foksas sustabdė jį. Bleikas su Dilanu prisėdo, ir Dilanas ištiesė ranką į šampaną. Jis paragavo, papurtė galvą ir tarė Bleikui:

— Tas žmogus neturi skonio.

— Gerai, sakykit, ko norit, — tarė Foksas. — Žinau, kas jūs tokie. Tu esi Bleikas Džonsonas ir dirbi Baltuosiuose Rūmuose, o tu — Šonas Dilanas. Buvai ARK, bet dabar dirbi ministrui pirmininkui. Taip?

— Vaje, kaip gerai informuotas, — pasakė Bleikas.

— Tai todėl, kad galiu prieiti prie bet kokios informacijos. Kompiuterių problema ta, kad pakanka vieno genijaus, ir štai — prašom, informacija mano. Taigi tik pabandykit mane paliesti, ir jūs gailėsitės, kad iš viso gimėte.

— Tokią paslaugą mes galime padaryti ir Donui Solaco. — Dilanas gūžtelėjo. — Ir, beje, niekas nėra "buvęs" ARK. Kartą ten patekęs, niekada nebeištrūksi. Ir aš turiu tau tikrai blogų žinių, sūnau. Žinai, kodėl? Todėl kad man nerūpi, gyvensiu aš ar mirsiu.

— Gal aš galėčiau čia kuo nors padėti?

— Per dvidešimt metų jo nesugebėjo pagauti nei britų armija, nei Specialioji oro tarnyba, — tarė Bleikas, — todėl abejoju, ar tau pavyks. Tiesą sakant, tavo sėkmė pradeda blėsti, ar ne, Džekai? Mes žinome, kad tu pats esi Solaco veidas. Bet kartu turi ir asmeninį verslą, pigaus viskio fabrikėlį Brukline. Bent jau turėjai.

— Ei, — šūktelėjo Dilanas. — Argi ne jis išlėkė į orą praeitą naktį? Koks sutapimas. — Jis meiliai nusišypsojo. — Tai tikrai nenaudinga grynųjų pinigų tėkmei.

— Nežinau, apie ką čia kalbate, — tarė Foksas. — Tai neturi nieko bendra su manimi.

— O aš manau, kad turėjo, — atsiliepė Bleikas. — O kur dar tie pinigai, kuriuos praradai Azijos krizės metu, pinigai, kurių neturėjai teisės investuoti. Nebent Donas Marko viską žinojo ir palaimino? Aš tuo abejoju.

— Ko jūs siekiate? — ramiai pasiteiravo Foksas.

— Paskandinti tave iki ausų mėšle Dono Marko akyse, nebent greitu metu iškastum iš kur nors didelę sumą grynųjų. — Dilanas šyptelėjo. — Bet mes ketiname pasirūpinti, kad tu jų negautum.

Foksas pamojo Falkonei.

— Aldo, sulaužyk tam niekšeliui dešiniąją ranką.

Falkonė puolė, tačiau Dilanas kairiąja koja nepastebimai spyrė siciliečiui į dešinįjį kelį. Tą pačią minutę Bleikas išsitraukė valterį ir pasidėjo jį ant stalo. Falkonė, klūpodamas ant kelių, įsikabino į stalo koją ir atsistojo. Ruso laikė ranką ant savojo ginklo.

— Ar šito nori? — paklausė Bleikas. — Susišaudymo restorane?

— Ne visai, — atsakė Foksas. — Palikime tai tinkamesniam laikui. Išeikit.

— Su malonumu. — Bleikas atsistojo, ir Dilanas pasekė jo pavyzdžiu.

— Prisiminiau frazę iš tokio seno filmo. Iki kito smagaus pasimatymo pragare.

— Nekantraudamas jo lauksiu, — atšovė Foksas.

Jie pasisuko ir išėjo.

— Jie žinojo apie saugyklą, — tarė Falkonė.

— Kaip ir daugelis kitų. Tai buvo atvira paslaptis. Su keliais klubais mes dirbame? Paslaptis tik tada paslaptis, kai ją žino vienas žmogus.

— Juk nemanote, kad jie žino ir apie visa kita?

— Ne, jie tik blefuoja. Eime. Netrukus turime išvykti į Londoną. — Foksas baigė šampaną ir susiraukė. — Žinot, tas niekšelis buvo teisus. Tai tikras šlamštas.

* * *

“Plazos” bare Dilanas ir Bleikas gurkšnojo arbatą ir airišką viskį, kai pasirodė Fergiusonas ir Hana Bernštain.

— Jergutėliau, — tarė Fergiusonas. — Jie čia jau sėdi ir mėgaujasi, kai, pasak kapitono Hario Parkerio, kažkas padegė pono Džeko Fokso nelegalų viskio fabriką.

— Ką tu sakai? — Dilanas papurtė galvą. — Tai siaubinga.

— Ar važiuoji namo, Dilanai?

— Kodėl gi ne? Manau, kad kuriam laikui čia darbus baigiau.

— Norėčiau priminti, kad kai išgelbėjau tave nuo serbų ir paėmiau į laivą, pasiūliau pagerinti savo ganėtinai bjaurią reputaciją.

— Pasiūlei.

— Bet tu vis tiek neišmokai gražiai elgtis.

— Aš juk airis.

— Šonai, tu vis dar dirbi man, — tarė Fergiusonas. — Elkis kaip išmanai, bet prašau informuoti mane.

— Jėzau, brigadininke, jokiu būdu neapvilčiau jūsų. Yra tik viena problema.

— Ir kokia gi?

— Aš ketinu visiškai sunaikinti Džeką Foksą ir Solaco šeimą. Airijoje, Londone, Beirute — kur prireiks. — Dilanas atsisuko į Bleiką. — Tu nieko prieš?

— Velniškai už. Rytoj pasikalbėsiu su prezidentu ir, jei reikės, atsistatydinsiu.

Dilanas atsigręžė ir nusišypsojo Fergiusonui.

— Štai kaip, Čarli.

Fergiusonas irgi šyptelėjo.

— Nuostabu. Nepaprastai skanu. — Jis dar kartą šyptelėjo, tada susiraukė. — Tada aš visiškai pritariu tam, ką esate sumanę. Vyresnioji inspektorė Bernštain bus mūsų ryšininkė. Galėsite pasinaudoti bet kurio mūsų skyriaus darbuotojo paslaugomis.

Jis atsistojo, ir Dilanas tarė:

— Jūs didis žmogus, brigadininke!

— Na, aš pusiau airis.

— Tai aš imsiuos darbo.

— Eik iki galo — pribaik Foksą ir šeimą.

— Manykit, kad tai jau padaryta.

— Tik štai kas. Neramu, kad Foksas tiek daug žino apie mus. Kaip jis ten sakė? Jei turi genijų, gali prieiti prie kokios tik nori informacijos?

— Taip.

— Na, aš žinau tokį genijų Londone.

Hana Bernštain šyptelėjo.

— Roperį, sere?

— Būtent. Pasirūpinkit, kad jie susipažintų su juo, kai ateis laikas. Padarysite tai, inspektore?

Ji linktelėjo.

— Gerai. Ką gi, — jis atsistojo, — laikas vykti. Iki pasimatymo.

Jie išėjo. Dilanas atsisuko į Bleiką.

— Ką darysime toliau?

— Pirmiausia turiu pasikalbėti su prezidentu.

— O tada?

— Tada smogsime tam niekšui Londone.

— Skamba puikiai.

Kazaletas buvo išvykęs į savo seną šeimos namą Nantukete. Bleikas negalėjo laukti, kol jis sugrįš, todėl užsisakė malūnsparnį ir nuskrido ten.

Prezidentas vaikščiojo paplūdimiu su savo mylimiausiu medžiokliniu šunimi Murčinsonu. Klensis Smitas sekė jiems iš paskos. Jūra putojo, dangus buvo pilkas, dulkė lietus, o prezidentas jau penktą kartą skaitė faksą nuo Hario Parkerio. Tolumoje pasigirdo riaumojimas. Klensis prisidėjo prie ausies ranką ir kažką sumurmėjo į mikrofoną. Tada pakėlė galvą.

— Malūnsparnis, pone prezidente. Tai Bleikas.

— Gerai. Grįžkime į namą.

Jie buvo pusiaukelėje, kai pasirodė Bleikas.

— Palik mudu vienus, Klensi, — tarė prezidentas.

Jie patraukė pakrante; Murčinsonas šokinėjo į vandenį ir atgal.

— Kvaiša, — burbtelėjo prezidentas. — Teks jį prisirišti.

— Taip. Jūros vanduo kenkia jo kailiui.

Kazaletas pamojo Klensiui, kuris nusisukęs pavėjui pridegė cigaretę ir atnešė ją prezidentui.

Kazaletas padavė Bleikui faksą.

— Turiu prisipažinti, kad kalbėjausi su tavo draugu Hariu Parkeriu. Teiravausi, kaip vyksta toji nelemta byla.

— Ir jis jums papasakojo. — Bleikas šyptelėjo. — Kurgi ne. Juk pagaliau aš jam rodžiau jūsų raštą. Taigi viską žinote, pone prezidente.

— Taip. Blogi popieriai. Bet kaip gražu, kad tas brigadininkas Fergiusonas ir vyresnioji inspektorė Bernštain nuskrido paremti tave.

— Ir Šonas Dilanas.

— Kaip visuomet, — nusišypsojo Kazaletas. — Žinai, koks nepaprastas sutapimas, kad sudegė tas Fokso sandėlis.

— Pone prezidente...

— Ne, Bleikai, leisk man pasakyti. Pastaruoju metu tu atrodai labai pavargęs. Manau, tau reikia pailsėti. Pažiūrėkim, gal per mėnesį atsigausi. Pakeliauk. Nuvyk į Europą, į Londoną. Pasižvalgyk po gražias vietas. Ką manai? Departamentas tavo paslaugoms.

— Ką aš galiu pasakyti, pone prezidente?

Kazaletas niūriai pažvelgė į jį.

— Nieko. Jei judu su Dilanu pričiupsite tuos niekšus, visiems bus tik geriau.— Jis kreivai šyptelėjo. — Tik labai apgailestaučiau, jei negrįžtum po atostogų sveikas ir gyvas.

— Aš tuo pasirūpinsiu, pone prezidente.

— Puiku. — Kazaletas nusviedė nuorūką į bangas. — Dabar grįžkime į namą, papietaukime ir keliauk sau.

Donas Marko savo bute klausėsi Falkonės pasakojimo apie tai, kas atsitiko “Keturiuose metų laikuose”.

Donas Marko linktelėjo.

— Ką ketina daryti mano sūnėnas?

— Mes išskrendame į Londoną — leisimės Hetrou oro uoste.

— Ar jis ima “Galfstrymą”?

— Taip, sinjore. — Falkonė padvejojo. — Jūs to nežinojote?

— O, esu tikras, kad jis pasakys man, kai bus pasiruošęs. Tu turi mano koduotą mobiliojo telefono numerį. Informuok mane. Noriu visą laiką žinoti, ką jis sumanęs.

Jis ištiesė ranką. Falkonė pabučiavo ją ir pasišalino. Donas Marko atsistojo, priėjo prie pianino ir paėmė Džeko Fokso nuotrauką. Joje jis vilkėjo karinio jūrų laivyno uniformą.

— Kaip gaila, — sušnabždėjo Donas. — Toks protingas, bet kartu toks tuščias ir kvailas.

Jis padėjo fotografiją į vietą ir išėjo.

LONDONAS

5

Kitą rytą Fergiusono lėktuvas nusileido Farlėjaus lauke. Jį pilotavo įprastiniai pilotai — aviacijos leitenantai Leisis ir Paris. Aviacijos seržantas Medokas atliko stiuardo vaidmenį.

Kovo lietus skalbė jų laukiantį daimlerį. Medokas išskleidė skėtį, ir visi keturi — Fergiusonas, Dilanas, Bernštain ir Džonsonas — nuskubėjo automobilio link. Jie paskubomis sugriuvo į vidų, ir Fergiusonas šūktelėjo pilotams:

— Gali netrukus tekti vėl skristi, todėl nieko neplanuokite.

Jie nusišypsojo.

— Puiku, sere, — atsiliepė Leisis.

— Dar kai kas, Leisi. Manau, kad tau derėtų dėvėti tinkamą uniformą.

Leisis suglumo.

— Brigadininke?

— Pasitikrink paaukštinimų sąrašą. Aš pakėliau tave į eskadrilės vadus, nes nors kartą Gynybos ministerija pasielgė protingai. Be to, už pavojingus skrydžius, atliktus mano įsakymu, judu abu apdovanojami Oro pajėgų kryžiais.

Jie išpūtė akis.

— Gerasis Dieve, sere, — išlemeno Paris. — Nuoširdžiai dėkojame.

— Viskas gerai. Eikit ir išgerkit ta proga.

Fergiusonas uždarė dureles, ir mašina pajudėjo.

— Taip ir žinojau, — tarė Dilanas. — Širdyje tu sentimentalus.

— Nebūk kvailas, Dilanai, jie užsitarnavo tai. — Fergiusonas atsisuko į Haną. — Tuos du išmesime prie Dilano namų, o mes važiuosime į Kavendiš aikštę, pas mane. Tau reikėtų kuo skubiau organizuoti susitikimą su Roperiu.

— Gal kas nors papasakotų man apie tą Roperį? — pasiteiravo Bleikas.

— Ar pamenat Baltųjų Rūmų Ryšių bylą ir ledi Heleną Grant? Ji norėjo išmokti nedorų naudojimosi kompiuteriais būdų, — tarė jam Hana. — Ji paprašė pagalbos Londono padalinį, ir jie nusiuntė jai Roperį.

— Nuostabus žmogus, — pritarė Fergiusonas. — Jis buvo Karališkojo inžinierinio bataliono kapitonas, minavimo darbų ekspertas, apdovanotas Kariniu ir Džordžo kryžiais. Bet tada pasidarė truputį neatsargus ir per kvailą automobilio sprogimą Belfaste neteko kojų. Kompiuteriai tapo jo naujuoju pasauliu, ir jis pasirodė esąs tikras genijus. Tuo įsitikino ir ledi Helena Grant.

Bleikas prisiminė ledi Heleną Grant ir Baltųjų Rūmų Ryšių bylą, kuri vos nesibaigė liūdnai. Taigi jai padėjo Roperis.

— Nekantrauju susipažinti su juo, — ištarė jis.

Daimleris įsuko į Steibl Mjuz, ir Dilanas su Bleiku išlipo.

— Aš nedelsdama susisieksiu su Roperiu, — tarė Hana.

Bleikas nešė krepšius, o Dilanas atrakino duris ir įleido vidun. Tai buvo mažas Viktorijos laikų namukas su turkišku kilimu ir medinėmis grindimis. Svetainė atrodė labai jaukiai — daug kilimėlių, odiniai baldai, nuostabus paveikslas virš židinio.

— Fantastiška, — tarė Bleikas.

— Čia žymaus Viktorijos laikų tapytojo Atkinsono Grimšo darbas. Man jį padovanojo Lajemas Devlinas. Pameni jį?

— Kaip galėčiau jį pamiršti? Jis išgelbėjo mūsų kailius. Ar jis dar gyvas?

— Jam devyniasdešimt, nors apsimeta esąs septyniasdešimt penkerių. Eikš, parodysiu tau tavo kambarį. Tada eisime į "Karaliaus galvą" — ji kitoje aikštės pusėje. Ten geriausias ėdalas Anglijoje, jei supranti, ką turiu omeny.

— Šonai, aš žinau, ką jūs vadinate ėdalu. Paprastai tai geriausias maistas Londone. Taigi rodyk kelią.

Jiems besėdint "Karaliaus galvoje", gurkšnojant "Gineso" alų ir skanaujant apkepą, tyliai sučirškė Dilano mobilusis telefonas.

— Susisiekiau su Roperiu, — pranešė Hana. — Jis gyvena Ridžensi aikštėje, vos už pusės mylios nuo jūsų.

— Ar mums nueiti pas jį?

— Ne, jis sakė, jog nori prasimankštinti. Jis turi tą naujausio modelio elektrinį vežimėlį ir nemėgsta, kai jį vadina invalidu.

— Supratau, ką nori pasakyti, mergyt.

— Pusę trijų jis bus Steibl Mjuz aikštėje.

— Mes lauksime.

— Dar kai kas. Aš pasiknaisiojau po Specialiojo skyriaus kompiuterius. Spėkit, kas atvyksta šįvakar į Getviką? Džekas Foksas, Aldo Falkonė ir Džiovanis Ruso.

— Kaip pasakytų Fergiusonas, nepaprastai skanu. Turėtų būti įdomu.

Jis išjungė telefoną, atsisuko į Bleiką ir perpasakojo ką išgirdęs.

Po valandos būtent Bleikas, sėdėdamas prie svetainės lango, pastebėjo atriedantį vežimėliu keistą jauną vyrą. Jis vilkėjo tamsiai mėlyną jūreivišką striukę ir ryšėjo baltą šaliką. Kai Bleikas nuskubėjo į koridorių, Dilanas jau buvo atidaręs duris.

— A, ponas Dilanas. Esu matęs jūsų veidą kompiuteryje. Aš esu Roperis.

Ilgi, pečius siekiantys plaukai dengė jo įdubusius skruostus ir ryškiai mėlynas akis. Veidas, rodės, buvo vienų randų — tokių, kurie lieka tik po nudegimų.

— Įeikit, — linksmai pakvietė Dilanas.

— Jei tik padėsite man perlipti laiptelį. Tai vienintelis dalykas, kurio tas prietaisas nemoka.

Dilanas perkėlė jį per slenkstį, tada nustūmė koridoriumi į virtuvę. Bleikas nusekė iš paskos.

— Aš mielai išgerčiau puodelį arbatos, — tarė Roperis ir atsisuko į Bleiką. — Leitenante.

Bleikas šyptelėjo.

— Ar turėčiau kreiptis “sere”?

— Žinoma. Mano laipsnis aukštesnis.

Kiek vėliau Dilanas ir Bleikas apšvietė Roperį, ko jiems iš jo reikėtų.

— Puiku, — atsiliepė Roperis. — Dalyvausiu visur. Solaco šeima, Džekas Foksas, operacija su Koliziejumi, tie broliai Džago. A, ir dar Brendanas Merfis. Žinau tą vardą iš tarnybos Airijoje laikų. Jei gerai pamenu, jis kietas vyrukas.

— Ne, Brendanas fanatikas, — atsiliepė Dilanas. — Kažkada turėjau su juo reikalų. Nekenčia taikos proceso, o dabar, kaip mes girdėjome, dar ir prekiauja ginklais. Gal net blogiau — gali būti susijęs su Sadamu Beirute.

— Tada man teks prisijungti prie Armijos štabo Lisburne, Šiaurės Airijos policijos, Gardos Dubline ir galbūt Saugumo tarnybų kompiuterių.

— Ar galite tai padaryti? — paklausė Dilanas.

— Dilanai, aš galiu prisijungti netgi prie jūsų skyriaus, ir Fergiusonas tai tikriausiai žino. Aš esu Dievo ranka, todėl palikite tai man.

— Gerai, — sutiko Bleikas. — Bet jei dar nežinai, tai šįvakar Londone pasirodo Foksas su dviem savo parankiniais.

— Falkone ir Ruso, — ramiai nusišypsojo Roperis. — Mafijos kietuoliai. Vienuolika metų dirbau Airijoje, ir mano priešai buvo teroristai, bet tam tikra prasme galiu suprasti tiek ARK, tiek lojalistus. O tiedu nė pusvalandžio neištemptų Deryje ar Belfaste.

— Tai ką darysime toliau? — paklausė Bleikas.

— Iš to, ką esu girdėjęs, sprendžiu, kad norite nukenksminti Koliziejų.

— Tikrai taip.

— Gerai. Tada išridenkite mane į gatvę — grįšiu namo ir viską paruošiu.

— Ar tu tikrai galėsi tai padaryti? — pasitikrino Bleikas.

Roperis linktelėjo.

— Jokių problemų. Dievas nebūtų davęs kai kuriems žmonėms smegenų, jei būtų norėjęs, kad žemę paveldėtų neišmanėliai. — Jis atsigręžė į Dilaną. — Pasimatysime šeštą valandą mano bute Ridžensi aikštėje. Tada imsite veikti taip, kaip pasakysiu. Sutinkat?

— Prakeiktas šelmis, — burbtelėjo Dilanas, tada nusišypsojo. — Esu tikras, kad viskas bus kaip reikiant, taigi imkis darbo, — ir Dilanas išstūmė jį į gatvę.

Roperio butas buvo pirmajame aukšte, su nuolydžiu iki priekinių durų, kad jis galėtų naudotis vežimėliu. Viskas nuo vonios iki virtuvės buvo sukonstruota neįgaliam žmogui. Vietoje svetainės buvo įrengta kompiuterių laboratorija; visi daiktai išdėlioti prieinamose vietose.

Atvykus Dilanui, Bleikui ir Hanai, Roperis atidarė duris.

— A, štai ir jūs.

Jis nusivedė visus į svetainę.

— Štai, prašom. — Roperis perbėgo pirštais per klaviatūrą, ir ekranas užsipildė. — Kazino Koliziejus, Smito gatvė. Valdytojas — Andželo Moris. Prižiūrėtojai — Frančesko Kamečė ir Tino Rosis. — Ekrane pasirodė fotografijos. Po minutėlės jis vėl pabarškino klaviatūrą, ir ekrane pasirodė pastato planai.

— Labai daug apsaugos taškų, — tarė Bleikas.

— Nieko baisaus, jei žinote kelią.

— Kaip siūlai veikti? — paklausė Dilanas.

— Aukštos klasės kazino saugo savo reputaciją. Menkiausias skandaliukas, ir tučtuojau prisistato Lošimo įstatymų sergėtojai, kurie kazino gali net uždaryti.

Stojo tyla.

— Ir kaip mes tai padarysime? — vėl pasiteiravo Dilanas.

— Šiąnakt viską pamatysite, jei tik padarysite tai, ką pasakysiu, ir veiksite drąsiai.

— Norite pasakyti, nusikalstamai, kapitone, — įsiterpė Hana.

— Galima pasakyti ir taip. Jei norite pričiupti tą niekšą, reikia griebti jį už gerklės.

— Aš sutinku, — tarė Dilanas. — Ir kaip jūs žinote, inspektore, brigadininkas Fergiusonas suteikė man laisvę, todėl išklausykime, ką jis pasakys.

— Tai labai paprasta. Koks yra vienas iš seniausių žaidimų? Net romėnai jį mėgo. Ir tebemėgsta.

— Kauliukai, — nusišypsojo Bleikas.

— Būtent. Paprasčiausiai meti kauliuką ir meldiesi, kad iškristų norimas numeris. Žmonės negali tam atsispirti.

— Ir ko gi tu nori? — nekantravo Dilanas.

— Kauliukų, seni. Pavokit man keletą kauliukų.

— Kam? — paklausė Bleikas.

— Nes kiekvienas kazino užsisako juos pagal atskirus užsakymus. Kitų tokių niekas negali turėti. Žinoma, kai jie pateks į mano rankas, aš juos truputį pakeisiu — įkišiu į jų vidų po lašelį švino ir jie taps tame versle vadinamais pakrautais kauliukais. O jeigu kazino naudoja pakrautus kauliukus, vadinasi, žaidėjai praloš.

— Bet kaip priversti kazino panaudoti tuos pakrautus kauliukus? — nesuvokė Bleikas.

— Čia ir yra visa esmė to, kam man reikia kauliukų. Jūs arba Dilanas įsimaišote į minią ir statote tam tikras sumas. Kai ateina jūsų eilė ir dalytojas paduoda kauliuką, paslapčia nugvelbiate jį ir panaudojate manąjį, patobulintą. Ant jų bus kazino ženklai, taigi niekas nė neįtars, kad čia kas nors ne taip. Žinoma, jums teks kažkaip pasidalyti nesėkme su kitais žaidėjais, atkreipti jų dėmesį. Pasekmės gali būti tragiškos kazino.

— Na ir suktas gi tu, — tarė Dilanas.

— Manau, kad turėtum eiti tu arba Bleikas. Inspektorės nė nedrįstu prašyti. — Jis šyptelėjo Hanai. — Atsitiktinai sužinojau, kad jūs žydų ortodoksė, o senelis dar ir rabinas.

Ji susijuokė.

— Mano senelis nustebintų jus. Jis puikiai lošia pokerį.

— Planas man patinka, — tarė Dilanas. — Nuo ko pradėsime?

Tą patį vakarą, dešimtą valandą, Džekas Foksas atvažiavo į Koliziejų, lydimas Falkonės ir Ruso. Prie durų jį sustabdė stambus vyriškis vakariniu kostiumu.

— Prašyčiau nario pažymėjimą.

— Man jo nereikia. Šis kazino priklauso man.

— Labai juokinga.

Drimba uždėjo ranką Foksui ant peties, bet čia įsikišo Ruso:

— Gal nori, kad aš ją sulaužyčiau? Tu ką tik padarei didžiausią klaidą savo gyvenime.

— Sinjore Foksai, koks malonus netikėtumas, — pasigirdo balsas ir lydimas dviejų parankinių laiptais atbėgo valdytojas Andželo Moris. — Ar kas nors ne taip?

— Ne, velniai rautų, — Foksas šyptelėjo drimbai. — Koks tavo vardas?

— Henris, sere, — atsiliepė šis sunerimęs.

— Gerai dirbi, Henri. — Foksas išsiėmė piniginę, ištraukė iš jos penkiasdešimties dolerių banknotą ir įkišo jį Henriui į kišenę. — Tiesą sakant, puikiai. Spirk į kiaušus kiekvienam, kuris atėjęs sakys, kad namai priklauso jam.

Henrio kakta rasojo.

— Taip, sere, kaip pasakysite.

Viduje buvo pilna žmonių: žaidimų stalai gulte nugulti. Foksas patenkintas linktelėjo.

— Atrodo gerai. Kaip su grynaisiais?

— Puikiai.

Foksas atsisuko į Morio padėjėjus, Kamečę ir Rosį.

— O judu gražiai elgiatės? — itališkai pasiteiravo jis.

— Kuo gražiausiai, — užtikrino jį Rosis. — Kaip gyvuoja Donas Marko?

Jei tai ir nuskambėjo per daug familiariai, tai iš tiesų taip nebuvo. Rosis buvo kilęs iš to paties kaimo kaip ir Solaco ar Korleonės šeimos.

— Puikiai, — tęsė itališkai Foksas. — Ačiū už rūpestį. — Jis atsisuko į Morį. — Mes ką tik atskridome, ir aš mirštu iš bado. Tikiuosi, restoranas dar atidarytas.

— Jums jis niekada neuždarytas, sinjore.

— Nuostabu. Devyniasdešimt devintųjų “Louis Roederer Cristal”, rūkytos lašišos, plaktos kiaušinienės su kapotais svogūnais. Man reikia rūpintis savo sveikata.

— Bet jūs nuostabiai atrodote, sinjore Foksai.

— Velniai rautų, Andželo, šįvakar aš čia vienintelis žmogus, buvęs sužeistas Persijos įlankos kare. Turiu būti atsargesnis.

Jie perėjo per pagrindinę salę ir įžengė į mažą restoranėlį. Moris nuvedė juos prie staliuko kampe.

— Ar jus tai tenkina, sinjore?

— Visiškai. Pasodink Falkonę ir Rosį prie gretimo staliuko. Jie tikriausiai ims kimšti bolonietiškus spagečius, bet ko norės, to ir duokit.

— Be abejo.

— Dar kai kas. Aš laukiu brolių Džago, Tonio ir Haroldo.

— Taip, jie skambino. — Moris skausmingai išsiviepė.

Foksas nusijuokė.

— Žinau, jie siaubingi. Manyk, kad jie atgimę broliai Krėjai, įsimylėję legendą apie save, tačiau broliai Krėjai buvo ypatingi. Džago niekada jiems neprilygs. Bet aš su jais dirbu. Kai atvyks, palydėk juos čionai.

Moris pasišalino. Foksas išsitraukė cigaretę, ir Falkonė prišokęs pridegė ją.

— Turite problemų su tais niekšeliais anglais, sinjore?

— Ne. Jie prisižiūrėjo per daug filmų apie gangsterius, tačiau bus mums naudingi. Judu su Ruso puikiai susitvarkytumėt su jais. Dabar atnešk man martinio.

Po pusvalandžio, vos tik jis baigė valgyti plaktą kiaušinienę, atvyko broliai. Vyresniajam Haroldui buvo keturiasdešimt. Jis buvo šešių pėdų, žilstantis, raupų subjaurotu veidu. Trisdešimtmetis Tonis buvo žemesnis, smulkesnis, su skustuvo paliktu randu ant dešiniojo skruosto. Vienintelis bendras dalykas buvo jų kostiumai, siūti geriausioje Londono ateljė.

— Džekai, malonu tave matyti. — Haroldas papurtė jam ranką.

— Prisijunkit, — pakvietė Foksas. — Kaip jūs sakote čia, Londone, galiu pasiūlyti jums gerą sandėrį.

— Siūlyk bet ką, — entuziastingai tarė Haroldas. — Tas triukas su inkasatorių furgonu buvo nepakartojamas. — Jis atsisuko į Tonį. — Juk taip, ar ne, Toni?

Tonis, nuožmus niekšelis, buvo pakankamai angliškas, kad nemėgtų užsieniečių.

— Jei jau taip sakai, Haroldai, — atsiliepė jis.

— O jis sako, — sausai metė Foksas ir spragtelėjo pirštais Falkonei. — Lagaminėlį.

Falkonė nešiojosi jį visą vakarą. Dabar jis ištraukė jį iš po stalo ir padavė Foksui. Foksas perdavė Haroldui.

— Viskas ten, lapas po lapo. Surinkti komandą palieku tau.

— Bet kas tai? — įtariai pasiteiravo Haroldas.

— Naujas Vopingo projektas. Sent Ričardo dokas. Baltojo deimanto kompanija.

Haroldas pašiurpo.

— Neįmanoma. Tai juk tvirtovė.

— Bet jie pamiršo vieną dalyką. Londone apstu požeminių upių ir tunelių; kai kurie šimto metų senumo, o vienas iš jų netyčia eina po Sent Ričardo doku. Viskas byloje. Perskaityk ją, tada pasikalbėsime. Jei nesusidomėsi, susirasiu ką nors kitą.

— Kiek? — dalykiškai pasiteiravo Tonis.

— Dešimt milijonų, o gal ir daugiau. Jūs gausite keturiasdešimt procentų.

— Penkiasdešimt, — atšovė Tonis.

— Užsičiaupk, — paliepė jam Haroldas ir atsisuko į Foksą. — Aš perskaitysiu bylą, Džekai, bet jau iš karto galiu pasakyti, kad mes sutinkame. Komandą palik man.

— Šaunuolis, — nusišypsojo Foksas. — Nagi, atkimškime butelį šampano.

Kazino užsidarė antrą valandą ryto; trečią pastate jau buvo tylu, tik apsaugos darbuotojai savo kabinete prie pagrindinio įėjimo žiūrėjo televizorių.

Gatvėje, šalia įėjimo į kazino rūsius, stovėjo pilkas Britų telekomo furgonas. Atsidarė galinės durys, ir pro jas išlipo Bleikas Džonsonas, užsimaukšlinęs ant galvos šalmą, vilkėdamas geltonu kombinezonu ir nešdamasis rankose du kablius. Jis atidarė šulinį šaligatvyje. Dilanas padavė jam lempą ir raudoną įspėjamąjį ženklą su užrašu “Atsargiai. Dirba žmonės”. Tada padavė keletą brezentinių širmų ir apdangalą nuo lietaus. Šalia gulėjo krūva laidų ir jungiklių. Bleikas pabandė apsimesti susidomėjusiu.

Furgono viduje, ratukuose, priešais labai paprastai atrodantį kompiuterį sėdėjo Roperis. Šalia klūpojo Dilanas, vilkįs juodus marškinėlius ir džinsus. Roperis pamaigė klavišus.

— Kaip einasi? — paklausė Dilanas.

— Kol kas neblogai. Nesijaudink, didysis Roperis niekuomet neklysta. — Lauke pasigirdo pristabdančio automobilio garsas, ir jis kilstelėjo ranką. — Luktelėk.

Bleikas kyštelėjo galvą iš po apdangalo į negailestingai pilantį lietų. Policijos patrulių mašina sulėtino greitį ir vairuotojas iškišo galvą pro langą.

— Na ir būdas užsidirbinėti pinigus tokią ankstyvą valandą.

— Kaip ir jūsų, — atsakė Bleikas, pasitelkdamas į pagalbą savo geriausią britų akcentą.

Policininkas nusišypsojo ir nuvažiavo.

— Veikiam, — tarė Dilanas.

— Puiku. Kaip sakiau, galiu suknisti visą apsaugos sistemą, bet tik penkiolikai minučių, todėl turėsite paskubėti.

— Velniai rautų, aš šitiek kartų išnagrinėjau tuos planus, kuriuos man rodei. Žinau, kur einu.

— Jau geriau žinok. Aš pradedu — suskaičiuok iki dešimties ir bėk prie rūsio durų.

Ekrane sumirgėjo raudonos ir žalios švieselės, tada pasigirdo silpnas cypimas, ir Dilanas, maudamasis ant galvos gobtuvą, puolė pro Bleiką prie rūsio.

Jis turėjo pasiėmęs mažą prožektorių, bet jo nė neprireikė, nes visur degė blankios apsauginės lempos. Dėl kamerų jam nereikėjo jaudintis. Kaip Roperis ir sakė, jos buvo sustingusios.

Prisimindamas rūsio planą, Dilanas skubiai nubėgo prie laiptų, perėjo per virtuves ir išniro prie įėjimo į restoraną. Šį galėjai matyti pro stklines duris. Apsauginis krapštėsi prie televizoriaus, kurio ekranas staiga aptemo.

Dilanas įsmuko į tamsią pagrindinę lošimo salę ir susirado dešinįjį stalą. Ant jo gulėjo padėkliukas su tvarkingai sudėtais kauliukais, bet šitų jis nelietė, o pasilenkė už dešiniojo kampo, kur stovėdavo dalytojas. Ten irgi gulėjo krūva kauliukų. Dilanas paėmė lygiai šešis, susidėjo juos į kišenę ir skubiai pasišalino.

Apsaugos darbuotojas tebesiginčijo su televizoriumi. Dilanas išslydo pro šešėlius, nubėgo laiptais žemyn, įlėkė į rūsį ir uždarė paskui save duris. Pralėkdamas pro Bleiką, kilstelėjo į viršų nykščius ir įšoko į furgoną. Po sekundės šeši kauliukai gulėjo priešais Roperį.

— Štai.

— Trylika minučių, — tarė Roperis. — Puikiai suveikei. — Jis pabarškino į klavišus ir atsilošė. — Viskas vėl normalu.

— Kas dabar?

— Susitvarkome ir dingstame iš čia.

Dilanas nusismaukė gobtuvą ir nuėjo pas Bleiką.

— Padaryta. Gavau, ko jis norėjo, todėl nešdinamės iš čia. Aš tau padėsiu.

— Gerai, — tarė Bleikas.

Dilanas išardė apdangalą, sumetė jį į furgoną, o Bleikas tuo metu uždarė šulinį. Po kelių minučių jie jau suko iš gatvės. Vairavo Dilanas.

Roperio bute Dilanas ir Bleikas susėdo ant suoliuko ir ėmė kantriai laukti, kol Roperis apžiūrinėjo kauliukus per padidinamąjį stiklą.

— Ar pavyks? — neiškentė Bleikas.

— Žinoma, pavyks, seni. Tačiau būdamas perfekcionistas, mieliau dirbu vienumoje, jei darbas reikalauja didelio kruopštumo, todėl būkite geri ir dinkite iš čia. Vis tiek negalėsite pasinaudoti tais daikčiukais iki rytojaus vakaro, taigi laiko turiu marias.

Dilanas linktelėjo Bleikui, ir jiedu atsistojo.

— Užbėgsime rytoj.

— Būtinai, — atsiliepė Roperis, visiškai nekreipdamas į juos dėmesio ir siekdamas smulkaus elektrinio grąžto, kokius naudoja juvelyrai.

Kitą rytą aštuntą valandą suskambo Dilano telefonas, ir Fergiusono balsas tarė:

— Kadangi dar neišgirdau apie jokias stichines nelaimes, spėju, kad vakar jūs ilsėjotės.

— Tikrai taip. Dabar mes Roperio rankose.

— Ką judu su Bleiku esate sumanę?

— Ketiname eiti į "Karaliaus galvą" pusryčiauti.

— Nekantrauju prisidėti prie jūsų.

Tą jis po pusvalandžio ir padarė, lydimas Hanos Bernštain. Kai visi užsisakė, Fergiusonas tarė:

— Dar nebuvote pas Roperį?

— Duokite jam laiko, sere, — tarė Hana. Priėjo padavėjas, nešinas didžiuliu padėklu.

— Atiduok kiaulienos kumpį man, Hana. Nenorėčiau, kad nukentėtų tavo žydiški principai, — pasišaipė Dilanas.

— Tu toks mielas, Dilanai.

Tą minutę su trenksmu atsidarė durys, ir į vidų įgriuvo Roperis.

— Gardžiai kvepia. — Jis pasisuko į padavėją. — Ir man tą patį.

— Turiu pasakyti, kad atrodai pritrenkiančiai, — tarė Fergiusonas.

— Norit pasakyti, kaip invalidas, kuris nemiegojo visą naktį? — paklausė Roperis, tada ištraukė iš kišenės šešis kauliukus ir parideno ant stalo. Jie visi sustojo ties vienetu. — "Gyvatės akys". — Jis grįžtelėjo į Bleiką. — Ar ne taip vadinate juos Vegase?

— Tu velniškai teisus.

— Nuostabu. Dieve, padėk šįvakar Džekui Foksui ir Koliziejui. Manau, kad eisiu pažiūrėti.

— Reikia būti nariu, — įspėjo Hana Bernštain.

— Kuriuo, ačiū savo kompiuteriui, aš ir esu. Tiesą sakant, jūs visi. — Padavėjas atnešė jam pusryčius. — Jergutėliau, kaip skaniai atrodo. — Jis čiupo šakutę su peiliu ir įniko į lėkštę. — Tikiuosi, jūs pagalvojote apie tai, kad jei Dilanas ir Bleikas nori sukelti sąmyšį kazino, jie irgi turi būti nariai?

— Žinoma, pagalvojome, — šyptelėjo Fergiusonas. — Ir žinojome, kad tu tuo pasirūpinsi. Atrodo, mūsų laukia įdomus vakaras.

— Tu velniškai teisus, — pritarė Bleikas.

6

Aprūpinti plastikinėmis nario kortelėmis, Rosio ir Kamečės, restorano parankinių, fotografijomis bei pasiėmę jau turimas Falkonės ir Ruso, tą vakarą visi praėjo į Koliziejų. Roperio lengvos konstrukcijos vežimėlį stūmė Dilanas.

Pagrindinė salė jau buvo sausakimša; po minią šmirinėjo padavėjos su vos įžiūrimais sijonėliais ir siūlė šampaną. Dilanas pasiėmė taurę ir pavartė akis.

— Nekoks? — paklausė Bleikas.

— Nieko, jei mėgsti putojantį vyną, bet čia tikrai ne šampanas.

— Na, Foksui teks pataupyti, — pastebėjo Fergiusonas.

Jie sustojo būreliu prie baro, ir Hana tarė:

— Ten porelė banditų, kuriais jūs domitės, sere. Broliai Džago, Haroldas ir Tonis, — baro gale.

Visi nukreipė žvilgsnius ta kryptimi.

— Labai neskanu, — pasakė Fergiusonas.

— Su jais susitvarkysime vėliau, — įsiterpė Dilanas. — Dabar nutarkime, kas pirmasis ridens kamuolį?

— Tiesą sakant, aš taip pagalvojau: mes turime šešis kauliukus, tai kodėl mums nepasidalijus po du? — svarstė Fergiusonas.

— Brigadininke, dabar aš suprantu, kaip jums pavyko pasiekti vadovaujančias aukštumas, — nusivaipė Bleikas. — Ką manai, Šonai?

— Kodėl gi ne? — Dilanas atsisuko į Roperį. — Ką gi. Spektaklis prasideda.

Dilanas išdalijo kauliukus.

— Prašom.

— Tai — į sceną, — tarė Fergiusonas. — Pradedam, — ir

jis pasuko lošimo stalo link. — O, ir žiūrėkit, nesusimaukit keisdami kauliukus, džentelmenai.

Restorane Foksas mėgavosi plakta kiaušiniene, rūkyta lašiša ir Krugo šampanu.

— Puikus gėralas, — tarė jis Falkonei. — Bet ne aukščiausios rūšies. Tačiau svarbu ne rūšis. Svarbiausia vynuogės.

Atėjo Ruso.

— Turime problemą, sinjore. Pamenat tuos du iš "Keturių metų laikų" Niujorke, Dilaną ir Džonsoną?

— Taip?

— Jie čia, pagrindinėje salėje.

— Tikrai? — Foksas ištuštino taurę. — Ką gi, pažiūrėkime.

Falkonė atitraukė kėdę, Foksas atsistojo ir nuskubėjo į judriausią kazino salę.

— Štai ten, sinjore, — parodė Ruso. — Šalia kažkokios moters ir dar vieno vyriškio. To, su dryžuotu kostiumu, matot?

Foksas piktai prunkštelėjo.

— Ta "kažkokia moteris", Ruso, yra vyresnioji inspektorė Hana Bernštain iš Skotland Jardo Specialiojo skyriaus. O tas "dar vienas vyriškis" — generolas brigadininkas Fergiusonas, Specialiosios žvalgybos skyriaus, pavaldaus Ministrui pirmininkui, vadovas. Nepaprastai suktas niekšelis. Galvą dedu, kad jie atėjo čia ne tam, kad paloštų kortomis.

— Tai ką darysime, sinjore? — paklausė Falkonė. — Išmesime juos?

— Nebūk kvailas, — susiraukė Foksas. — Tai vienas iš prestižiškiausių lošimo klubų Londone. Mums mažiausiai reikia skandalo. Negi manai, kad išmesiu generolą brigadininką ir jo draugelius? Ne, palauksiu ir pažiūrėsiu, ką jie sumanę.

Kauliukų stalas buvo labai populiarus, aplinkui jį nebuvo tuščios vietelės.

— Gal norėtumėt pabandyti, inspektore? — pasiūlė Fergiusonas Hanai.

— Ne, sere. Aš nemoku žaisti kauliukais. Tokios ydos neturiu.

— Bet aš turiu, — atsiliepė Bleikas. — Pradedam.

Jam teko truputį palūkėti, kol atėjo eilė, tada jis paėmė pasiūlytą kauliuką ir pradėjo. Keista, bet pirmi trys metimai buvo gana sėkmingi ir jis netgi laimėjo pinigų. Tada jis paslėpė duotąjį kauliuką ir sviedė Roperio "patobulintus".

— "Gyvatės akys".

Minia sudejavo.

Dalytojas perdavė kauliukus Dilanui, kuris apkeitė juos tikraisiais ir padarė porą sėkmingų metimų. Tada, kai atrodė, jog viskas gerai, — "gyvatės akys"!

— Ajai, — gailiai atsiduso šis, — suprantu, gali nepasisekti, bet tai jau žiauru.

Įsikišo Fergiusonas.

— Leisk pabandyti man, seni. Žinai, man atrodo, tų kauliukų kampai per daug apvalūs. — Jis atsisuko į krupjė. — Duokite man naują porą.

Krupjė pakluso. Fergiusonas parideno, ir — "gyvatės akys"! Jis pažiūrėjo į šalia stovintį kariškos išvizdos vyrą ir nusijuokė.

— Kaip keista. Mūsų visų vienoda sėkmė.

— Taip, — lėtai ištarė kariškis. Krupjė grėbyklė jau buvo besugriebianti kauliukus, bet vyriškis spėjo pagriebti juos pirmasis.

— Neskubėkit.

— Tikiuosi, mesjė, nenorite pasakyti, kad čia kažkas negerai? — paklausė krupjė.

— Pažiūrėkim.

Vyras parideno kauliukus per stalą, ir vėl — "gyvatės akys". Krupjė grėbyklė siektelėjo kauliukų, tačiau vyras jį sustabdė.

— Palikit. Tos "gyvatės akys" per dažnai kartojasi. Tie kauliukai pakrauti.

Minia sušurmuliavo. Kariškos išvaizdos džentelmenas atsisuko į pagyvenusį poną.

— Pažiūrėkite pats. Ką tik duota pora.

Vyras metė, ir rezultatas buvo toks pat. Dabar minia jau akivaizdžiai pasipiktino. Netrukus atskubėjo Moris.

— Ponai ir ponios, prašau! Tai nesusipratimas.

— Ar jūs — valdytojas? — griežtai pasiteiravo Fergiusonas.

— Taip, — atsiliepė Moris.

— Tada mlonėkite pats paridenti šiuos kauliukus.

Moris dvejojo. Minia ėmė ošti.

— Meskit gi.

Moris metė. Kauliukai nusirito. “Gyvatės akys”.

Minia suriaumojo iš pykčio.

— Viskas, gana, — tarė kariškos išvaizdos vyriškis. — Kauliukai pakrauti, o per pastarąsias savaites aš palikau čia gan nemažą sumą. Reikia iškviesti policiją.

— Ponai ir ponios, prašau, — maldavo Moris.

Foksas, Falkonė ir Ruso stovėjo nuošaly ir nesikišo.

Hana Bernštain priėjo prie Morio.

— Prašom atiduoti man kauliukus, sere, — pareikalavo ji.

— O kas jūs tokia, velniai rautų? — jis buvo toks sutrikęs, kad kreipėsi į ją itališkai.

Hana sklandžiai atsiliepė ta pačia kalba:

— Vyresnioji inspektorė Hana Bernštain, Specialusis skyrius. — Ji pažiūrėjo į kauliukus ir surinko juos. — Matau, kad pagal Lošimo įstatymą jie pažymėti klubo ženklu. Ar jūs sutinkate?

— Na taip, — išlemeno Moris ir pridūrė: — Tikriausiai kažkas juos apkeitė.

— Kokias čia kvailystes kalbate, — tarė kariškos išvaizdos vyriškis. — Kam, po galais, būtų naudinga sukeisti kauliukus ir visą laiką pralošinėti?

Minia pritariamai suošė. Moris sudribo ant stalo, o Hana pareiškė:

— Pagal Lošimo įstatymo nustatytus punktus, sere, privalau uždaryti jūsų klubą, kol klausimą apsvarstys Vestminsterio magistratų teismas. Kiek mums žinoma, jums priklauso dar dvylika klubų Londono Sityje. Tai tiesa?

— Taip, — tarė jai Moris.

— Bijau, kad juos irgi teks uždaryti. Už bet kokį šio įsakymo pažeidimą bus baudžiama šimto tūkstančių svarų bauda su tolesnėmis pasekmėmis.

— Žinoma. — Moris virpančiu balseliu kreipėsi į minią. —

Ponai ir ponios, deja, policijos įsakymu turime uždaryti klubą. Prašom visus išeiti. Nepamirškite savo daiktų.

Minia išsisklaidė. Paskutiniai išėjo Fergiusonas, Bernštain, Dilanas, Bleikas ir Roperis. Prie durų Dilanas atsisuko ir pamojavo Foksui.

— Ei, dranguži! Gero vakaro!

Jie išėjo. Foksas pažiūrėjo į Falkonę.

— Noriu žinoti, kur jie eina. Surask porą laisvų chuliganėlių. Tik ne Rosį su Kameče.

— Virtuvėje yra Borsalino ir Salvatorė, — tarė Ruso.

— Atvesk juos. Beveik visus pažįstu, išskyrus tą, vežimėlyje. Tegu paseka jį.

Jie iškėlė Roperį iš vežimėlio ir įkėlė į daimlerį; tada sulankstė jo vežimėlį ir sulipo patys.

— Kas dabar? — paklausė Bleikas.

— Lauksime Fokso reakcijos, — atsiliepė Dilanas.

— Gal važiuojame kur nors pavalgyti? — pasiūlė Fergiusonas.

— Be manęs, brigadininke, — tarė Roperis. — Noriu dar kartą patikrinti kompiuterį. Nuvežkite mane namo ir galite sau smagintis.

Tačiau daimlerį jau sekė niekuo neišsiskiriantis fordas, vairuojamas Paolo Borsalino. Šalia sėdėjo jo draugas Aleksas Salvatorė. Kalbant sicilietiškais terminais, jiedu buvo Piccioti, vaikėzai, siekiantys pagarbos, žudantys ką paliepti ir tokiu būdu kopiantys aukštyn. Borsalino žudė jau tris kartus, o Salvatorė — du, bet abu jie nekantravo padidinti savo aukų skaičių.

Daimleris sustojo Ridžensi aikštėje. Dilanas išlipo, sustatė Roperio vežimėlį ir padėjo jam atsisėsti. Visi kiti išlipo atsisveikinti, kol Dilanas rakino Roperio buto duris.

— Pasikalbėsime rytoj. Puikiai pasidarbavote, kapitone, — tarė Fergiusonas.

— Malonu pasitarnauti, brigadininke.

Dilanas įstūmė Roperį į holą.

— Tu tikras šaunuolis, Roperi.

— Turint omeny tavo praeitį, priimu tai kaip komplimentą.

Dilanas uždarė paskui save duris ir sugrįžo prie kitų.

— Kas dabar?

— Čia netoliese už kampo yra neblogas italų restoranėlis, — tarė Fergiusonas. — Galėsime aptarti, ką veikti toliau.

Daimleris nuvažiavo. Borsalino ir Salvatorė stebėjo jį iš kito aikštės kampo.

— Ką darysime? — paklausė Salvatorė.

— Tu stebėk mašiną, — paliepė Borsalino. — Aš tuoj grįšiu.

Jis nuėjo į mažą krautuvėlę aikštės kampe, vieną iš tokių, kurios dirba iki pusiaunakčio. Pardavėjas buvo indas. Borsalino paprašė dviejų pakelių “Marlboro”.

— Žinai, mačiau čia tokį vyruką invalido vežimėlyje, išlipantį iš mašinos. Man atrodo, kad aš jį pažįstu, bet nesu tuo visiškai tikras.

— Tai tikriausiai ponas Roperis, — atsakė indas. — Jis buvo kapitonas Karališkajame inžineriniame padalinyje. Pateko į sprogimą Airijoje.

— Oi ne, tada aš kažką supainiojau. Bet vis tiek ačiū.

Borsalino sugrįžo į fordą, paskambino Foksui ir perdavė informaciją, kartu pranešdamas, kur jie esą.

— Ten ir likite, — pasakė Foksas. — Aš dar paskambinsiu.

Tuo metu jis dar buvo Morio kabinete kazino. Foksas paėmė ragelį ir paskambino Mod Džekson į Niujorką. Ten buvo vėlyva popietė, ir ji mėgavosi arbata su sausainiais.

— Mod, — tarė Džekas. — Čia, Londone, turiu rimtų problemų su Fergiusonu ir jo kompanija. O vieno aš nepažįstu — buvęs Karališkojo inžinerinio padalinio kapitonas, sužeistas Airijoje, toks Roperis. Norėčiau kuo skubiau sužinoti, kas jis toks.

— Kur tu esi?

— Grįžtu į Dorčesterį. Koliziejuje turėjome nemalonumų.

— Nekoks vakaras, a? Duok man valandą.

Grįžęs į viešbutį, Foksas sėdėjo terasoje ir gurkšnodamas šampaną gėrėjosi nuostabiu Londono vaizdu. Ruso pasiliko jųdviejų su Falkone kambaryje, nors Falkonė, kaip visuomet, stovėjo šalia Fokso.

— Rūpesčiai, sinjore?

— Pamatysim, Aldo.

Suskambo telefonas, ir Foksas pagriebė ragelį. Skambino Mod Džekson.

— Berneli, nežinau, nė kaip tau pasakyti. Tą Roperį bandė išsprogdinti airių teroristai, o dabar jis tikra kompiuterių legenda. Džekai, jei jis stoja tau skersai kelio, gresia rimti nemalonumai.

— Ačiū, Mod, tu tikras angelas.

— Vis tiek nepamiršk atsiųsti čekį.

Foksas padėjo ragelį ir tarė Falkonei.

— Pašalink jį.

— Asmeniškai aš, sinjore?

— Žinoma, ne. Važiuok į Ridžensi aikštę. Susirask Borsalino ir Salvatorę. Duok jiems nurodymus. Liepk juo atsikratyti. Užuodžiu didelę bėdą.

— Kaip įsakysite, sinjore, — užtikrino jį Falkonė. — Ruso tegu lieka čia.

Jis pasiėmė Fokso limuziną, vairuojamą italo Fabijo, nuleido pertvarą, paskambino Donui Marko ir papasakojo paskutines naujienas.

— Tai negerai, — tarė Donas Marko. — Aš jau ir pats imu užuosti rūpesčius. Informuok mane, Aldo.

Falkonė surado Borsalino ir Salvatorę forde netoli Roperio namų. Jie, žinoma, iškart pakluso.

— Likite čia. Pašalinkite tą vyruką invalido vežimėlyje, bet pasirūpinkite, kad viskas atrodytų kaip nelaimingas atsitikimas. Laukite nors ir visą naktį, jei reikės. Laukite ir kitą dieną, jei reikės, bet jis turi būti sutvarkytas. Capisce?

— Kaip pasakysite, — patikino jį Borsalino.

Falkonė grįžo į limuziną.

— Atgal į Dorčesterį? — paklausė Fabijo.

— Ne, aš noriu užkąsti. Surask kokią vietelę, kur galėčiau suvalgyti ką nors paprasta. Na, žinai, sumuštinį su kumpiu ir kiaušiniu, ar ką nors panašaus.

— Kaip tik žinau tokią vietą, sinjore.

— Gerai. O tada sugrįšime atgal ir pažiūrėsime, kokia padėtis.

Roperis prisijungė prie kompiuterių banko ir ėmė rinkti duomenis apie Džeką Foksą ir Brendaną Merfį, ARK provizionistų pasididžiavimą. Jis surado neįtikėtinų faktų. Tada pasidomėjo broliais Džago ir susirašė visą litaniją nusikaltimų. Jis atsilošė. Nuostabu.

Roperis dirstelėjo į laikrodį. Vienuolikta valanda. Pasijuto alkanas, bet ir gerai, nes jis žino, kad Rajeno airių restoranas kitoje aikštės pusėje atidarytas iki pirmos valandos.

Jis įsinėrė į lietpaltį, persikėlė į vežimėlį ir pasuko prie durų.

Į veidą smarkiai tėškė lietus. Leisdamasis rampa, jis išskleidė mažą teleskopinį skėtį ir nuriedėjo šaligatviu. Falkonė, sėdėdamas limuzine, pamatė jį.

— Sinjore? — atsisuko Fabijo.

— Palikime tai berniukams.

Roperis šiek tiek nerangiai riedėjo, slėpdamasis po skėčiu. Borsalino ir Salvatorė irgi pastebėjo jį.

— Ką darom? — skubiai paklausė Salvatorė.

— Šalinam jį, — atsiliepė Borsalino. — Varom.

Jis per sekundę išsivertė iš fordo ir nuskuodė paskui vežimėlį. Salvatorė pasekė jam iš paskos.

— Ei, pone, gal reikia padėti?

Roperis tučtuojau suprato, kas čia vyksta, bet atsakė:

— Ne, dėkui, aš susitvarkau.

Banditai apsupo vežimėlį iš abiejų pusių.

Borsalino vėl tarė:

— Ne, iš tiesų, aš manau, kad jums reikia padėti, pavyzdžiui, nustumti į gatvę. Ką jūs manote apie tai?

— Kad kažkam tikrai labai nepasisektų, — atsiliepė Roperis.

Falkonė, stebėdamas viską iš limuzino, tarė Fabijo:

— Tu jau pakankamai seniai šeimoje. Ką manai apie tai?

— Kad šis reikalas dvokia, sinjore. Iš kur jie traukia tokius vaikėzus?

— Sutinku. Tiesiog riedėk pamažu iš paskos ir pažiūrėsime, kaip viskas baigsis.

Aikštės pabaigoje pagrindinis kelias buvo neapšviestas ir tą minutę visiškai tuščias.

— Prakeikimas! — nusigando Borsalino. — Nė vienos mašinos. Ką mes darysime?

— Ridenk jį toliau, — atsakė Salvatorė. — Vis tiek ką nors surasime. Ar gerai leidi laiką, drauguži?

— Priklauso nuo to, kaip jūs tai suprantate. — Roperio ranka palengva išlindo iš dešiniosios vežimėlio kišenės. Joje jis laikė valterį su Karsvelo duslintuvu ant vamzdžio. Roperis įrėmė vamzdį į kairįjį Salvatorės pakinklį ir nuspaudė gaiduką. Pasigirdo duslus kostelėjimas, ir italas surikęs parkrito į nutekamąjį griovį.

Nenuleisdamas ginklo, Roperis nežymiai pasuko vežimėlį, ir Borsalino atšoko.

— Tu tikrai nebūtum išgyvenęs Belfaste, sūnau, — tarė Roperis. — Nė minutėlės. — Kai Borsalino puolė bėgti, jis šovė jam į dešinę šlaunį.

Abu italai drybsojo ant šaligatvio. Roperis stabtelėjo ir pažiūrėjo į juos. Tada išsitraukė mobilųjį telefoną ir surinko tris devynetus. Atsiliepus operatorei, jis tarė:

— Ant šaligatvio Ridžensi aikštėje guli du vyrai. Atrodo, kad čia būta susišaudymo.

— Jūsų pavardė, sere?

— Nebūkit kvaila.

Jis išjungė savo koduotą telefoną ir nuriedėjo.

Fabijo pasibaisėjo:

— Dieve mano, sinjore, ką mes darysime?

Tolumoje jau girdėjosi policijos sirenos.

— Nieko, — atsiliepė Falkonė. — Nieko mes nedarysime. — Kurį laiką jis žiūrėjo, kaip tiedu bando pasikelti. — Nešdinkimės iš čia.

Vos tik jie išsuko iš aikštės, į ją įlėkė policijos automobilis, o įvažiavus į pagrindinę gatvę, pasirodė ir greitoji.

Rajeno reastorane Roperis užsisakė airišką troškinį ir pintą “Gineso” alaus, tada paskambino Fergiusonui ir pranešė jam blogas naujienas.

— Kur tu esi? — paklausė šis, ir Roperis pasakė. — Gerai, ten ir lik. Mes atvažiuojame tavęs.

Fergiusonas padėjo ragelį ir atsisuko į Haną, Dilaną ir Bleiką.

— Skambino Roperis. Jis važiavo naktipiečių, ir pora italų bandė jį nugalabyti. Pasakė jam, kad nustums į gatvę po mašina.

— Kas atsitiko, sere? — paklausė Hana.

— Jis pašovė juos į kojas, — atsakė Fergiusonas. — Ar galite tuo patikėti? Ir paliko gulinčius ant šaligatvio.

— Tiesą sakant, aš visiškai tuo tikiu, — atsiliepė Dilanas. — Džekas Foksas veltui laiko negaišo.

— Tai ką dabar darysime? — paklausė Bleikas.

Fergiusonas pažiūrėjo į Haną.

— Inspektore?

— Abejoju, kad jie prabiltų, sere, jei nors kiek brangina savo gyvybes. Bet esu tikra, kad tai ne paskutinis Fokso mėginimas.

— Tu teisi, — pritarė Fergiusonas. — Perkelsime Roperį į slaptą namą Olandų parke. Pasirūpinkite, kad būtų pervežti visi jam reikalingi daiktai, viskas, ko jam gali prireikti. Mums jo dar prireiks. Ar sutvarkysite tai, inspektore?

— Kaip pasakysite, sere. — Hana apsisuko ir išėjo.

Bleikas pažiūrėjo į Dilaną.

— Taigi kazino jau pasirūpinta. Koks kitas taikinys? Broliai Džago? Armijos saugykla? Beirutas?

— Pirmiausia perkelkime Roperį į saugomą namą. Kai jis ten įsikurs, nuspręsime.

Viešbutyje Foksas klausėsi Falkonės ataskaitos apie įvykius Ridžensi aikštėje. Jis vos tramdė juoką.

— Nori pasakyti, kad tas nususėlis invalido vežimėlyje tikrai pašovė juos?

— Taip, sinjore.

Foksas papurtė galvą.

— Na, ko čia stebėtis, turint galvoje tai, ką sužinojau apie jį. Gali patikrinti, ar jis namuose, bet jei nėra, palik viską ramybėje. Mes turime ir kitų reikalų.

— Kokių, sinjore? Aš kalbėjausi su Moriu. Koliziejus ir mažesni lošimo namai liks uždaryti, kol policija ir valstybės kaltintojų tarybos direktorius nuspręs, ką daryti, o tai gali užtrukti mėnesius.

— Mes susikoncentruosime ties kitais reikalais. Reikia patikrinti ryšį su Libanu, kurį užmezgė Merfis.

— Beirute, sinjore?

— Ne, atrodo, kad Al Šarizo pietuose. Merfis kitą savaitę turi būti Beirute. Mes susitiksime ir susitarsime dėl tiekiamų prekių. Pamiršk kazino. Mūsų laukia milžiniškas sandėris, Aldo. Pasimatysime ryte.

Falkonė sugrįžo į savo kambarį ir paskambino Donui Marko.

— Jis vis giliau laidoja save, ar ne? — tarė Donas Marko.

— Gal man ko nors imtis?

— Ne. Tiesiog pranešinėk man.

— Žinoma, Donai Marko.

Slėptuvė Olandų parke buvo Edvardo laikų namas su sodu, apsuptas stora siena. Užrašas ant vartų skelbė, jog tai Pain Grouvo globos namai, nors nieko panašaus juose nebuvo.

Roperį perkraustė paprastai atrodantys vaikinai ir merginos, kurie iš tiesų dirbo Specialiajame skyriuje ir visuomet paklusdavo Fergiusono nurodymams. Dvi seržantės supakavo Roperio drabužius, o trejetas vyrų, klausydami jo instrukcijų, perkėlė įrengimus. Pirmą valandą ryto jis jau buvo Pain Grouve su visa savo manta.

Policija pasišalino, ir nedidukė malonios išvaizdos moteris pasiteiravo:

— Ar viskas gerai, majore?

Roperis sutriko.

— Kapitonas.

— O ne, sere. Brigadininkas Fergiusonas sakė — majoras.

— O kas jūs būsite?

— Helena Blek, sere. Karališkoji karinė policija. Majorė seržantė.

— Jergutėliau, — atsiduso Roperis. — Juk tai “Armani” kostiumas.

— Na, tėvas paliko mane gerai aprūpintą.

— Užuodžiu Oksfordą.

— Ne, Kembridžas. Nju Holas. Dirbau Keturioliktajame žvalgybos poskyryje Deryje. Jūs buvote tikra legenda.

— Ir matot, kaip ji baigėsi. Atvedė tiesiai į invalido vežimėlį su sutraiškytomis galūnėmis.

— Drąsa niekuomet neišeina iš mados, sere, vežimėlyje ar ne. Man jūs esate vienas drąsiausių žmonių, kokius kada nors esu sutikusi. Bet jūs tikriausiai išalkęs. Paruošiu keletą sumuštinių.

— Sakykit man, majore seržante, ar jūs mano asmens sargybinė? Nes manęs ieško ganėtinai pikti žmonės.

— Aš žinau, sere. — Ji praskleidė švarką ir parodė automatinį koltą. — Dvidešimt penkių milimetrų.

— Taip, to turėtų pakakti.

Ji nusišypsojo ir išėjo.

Nepaisant vėlaus laiko, Roperis paskambino Fergiusonui ir, kai šis atsiliepė, paklausė:

— Kas čia per kalbos apie majorą?

— Na, tu vis dar Armijos sąrašuose. Pamaniau, kad paaukštindamas suteiksiu tau daugiau valdžios. Įsikūrei Olandų parke?

— Taip, kartu su rūsčiąja majore seržante Blek.

— Rūsčioji — tinkamas žodis. Ji paveldėjo daug pinigų, todėl yra pakankamai nepriklausoma. Jos vyras — majoras. Atsisakė išeiti į atsargą. Ji viena iš nedaugelio moterų, apdovanotų Kariniu kryžiumi. Nušovė du provizionistus Deryje. Tu gerose rankose.

Roperis švilptelėjo.

— Tai jau tikrai. Taigi ko man imtis toliau?

— Duodu ragelį Dilanui.

Po minutėlės Dilanas jau šaipėsi į ragelį.

— Sveikas, Bili Vaikeli.

— Supranti, tie vyrukai nenorėjo gražiai elgtis, todėl pamaniau — velniop juos.

— Palaikau ir pritariu.

— Tai ką man dabar daryti? Kas bus kitas?

— Turime du pasirinkimus: broliai Džago arba Brendanas Merfis. Ką žinai apie Džago?

— Nelabai ką. Jiems patinka užpuldinėti inkasatorių furgonus. Labai senamadiški. Su nupjautavamzdžiais, kaip kokiame nors britų filme apie gangsterius. Bet reikalas tas, kad labai sunku nuspėti tokių žmonių ateities planus, — tęsė Roperis. — Nebent Foksas būtų patikėjęs juos kompiuteriui — iš kur man žinoti?

— Tai vidaus informacijos klausimas, — tarė Dilanas.

— Ir iš kur man ją gauti?

— Tie Džago juk gangsteriai, taip?

— Ir ką tai sako?

— Pasiųsk vieną gangsterį, kad sugautų kitą gangsterį.

— Apie ką tu čia, po galais, kalbi?

— Haris Solteris. Tai legendinė asmenybė Londono kriminaliniuose sluoksniuose. Septyniasdešimtaisiais atsėdėjo septynerius metus už banko apiplėšimą. Po to niekada nebepakliuvo į kalėjimą. Jis verčiasi sandėlių statyba, turi šiokią tokią nuosavybę, keletą pramogų katerių Temzėje. Vis dar tebeturi savo pirmąjį pirkinį, smuklę Vopinge, kuri vadinasi "Tamsos žmogus".

— Kalbi, lyg jis tau patiktų.

— Na, jis ne kartą gelbėjo mane, o aš gelbėjau jį. Jis tikras dinozauras, bet labai turtingas dinozauras. Netgi mentai nebekimba prie jo. Dirba su savo sūnėnu Biliu ir pora padėjėjų, Baksteriu ir Holu. Visi keturi — buhalteriai.

— Tai tu ketini su juo susitikti?

— Toks mano planas.

— Puiku. Informuok mane. O kol kas aš patikrinsiu poną Merfį. — Roperis šyptelėjo. — Man patinka, kai turiu darbo.

— Pasimatysime rytoj.

Kurį laiką Roperis sėdėjo mąstydamas, bet atsidarė durys ir įėjo Helena, nešina sumuštiniais su kumpiu.

— Ar jų užteks?

— Negaliu sulaukti. Ar jūs pavargusi?

— Nelabai.

— Gerai, tada gal norėtumėt, kad parodyčiau jums, koks efektyvus gali būti kompiuteris, kai žinai, kaip su juo elgtis?

— Koks mokymo objektas?

— Ypač dvokiantis provizionistų mėšlo gabalas, vardu Brendanas Merfis.

— Minutėlę. Aš pamenu jį. Deris, devyniasdešimt ketvirtieji.

— Ir anksčiau. — Roperis atsikando sumuštinio. — Nuostabu. Dabar sekite mano nurodymais, ir aš paaiškinsiu, ką daryti.

7

Kitą rytą visi susirinko Fergiusono kabinete. Patogiai įsitaisęs, Fergiusonas kreipėsi į Haną:

— Apšvieskite mane, inspektore.

— Užpuolikai — pora smulkių chuliganėlių, dirbančių Koliziejaus virtuvėje. Borsalino ir Salvatorė. Dabar jie Vestminsterio ligoninėje, policijos priežiūroje. Salvatorei pataikyta į kelio girnelę, o Borsalino šlaunyje — šautinė žaizda.

— Jergutėliau, majoras Roperis nesiterlioja, ar ne?

— Kodėl turėtų? — tarė Hana.

— Ką jie sako?

— Bylą tiriančiam pareigūnui jie pasakė buvę užpulti dviejų juodukų, kurie norėję juos apiplėšti. Susirėmę. Toliau jūs žinote.

— Atrodo, šiais laikais niekas neapsaugotas nuo apiplėšimo. — Fergiusonas pažiūrėjo į Dilaną. — Kas dabar?

— Mudu su Bleiku einame pasimatyti su Hariu Solteriu. Užsiundysiu jį ant brolių Džago — gal jam pavyks ką sužinoti. Jei ruošiama kas nors svarbaus, Solteris tikrai sužinos. Jis man skolingas. Tiesą sakant, jis skolingas Bleikui. Mes išgelbėjome jo kailį viename iš pramogų katerių, kai jį užpuolė Hukerio gauja.

— Taip taip, kažką pamenu, — pasakė Fergiusonas. — Gerai. Bet ką darysime su Brendanu Merfiu? Man kur kas neramiau dėl jo.

— Roperis kaip tik dirba ties tuo, — atsakė Hana. — Bet jis sako, kad būtų kur kas lengviau, jei turėtų nors kokią informaciją, kuria galėtų remtis. Ar įmanoma ką nors sužinoti?

— Aš turiu pasiūlymą, — įsikišo Dilanas. — Kol mudu su Bleiku kalbėsimės su Solteriu, kodėl tau nepaskambinus Lajemui Devlinui į Kilrį?

— Tai jis dar gyvas? — nusistebėjo Fergiusonas.

— Kuo gyviausias. Devlinas nesenstantis. Tu patikai jam, Hana, kai buvote susitikę. Papasakok jam viską ir paprašyk viską, ką gali, sužinoti apie Brendaną Merfį. Jis vis dar gyvas ARK legendoje ir žino viską, kas susiję su ja.

Hana atsisuko į Fergiusoną.

— Brigadininke?

— Gera mintis. Tik siūlyčiau neskambinti, o susitikti akis į akį. Skrisk į Dubliną.

— Jei taip sakote, sere.

— Sakau. Taigi, žmonės, imkitės darbo.

Hana nuėjo į savo kabinetą; Dilanas ir Bleikas kartu su ja. Ji paskambino į Farlėjaus lauką ir užsisakė lėktuvą.

— Pasisaugok ten, moterie, — perspėjo Dilanas. — Taika ar ne taika, ten vis dėlto karo zona.

— Nevaidink tėvo, Dilanai.

— Ten yra žmonių, kurie išluptų tau akis, jei galėtų.

Ji giliai įkvėpė.

— Tu teisus. Aš atsiprašau.

— Taigi. Nepamiršk pasiimti ginklą.

— Nepamiršiu.

Dilanas ir Bleikas išėjo. Hana išsitraukė asmeninę užrašų knygelę ir susirado Devlino telefono numerį Kilryje, kaime netoli Dublino. Senis atsiliepė tučtuojau.

— Ir kas gi čia trukdo man rytmetį?

— Hana Bernštain.

— Jėzau, mergyt, kas gi atsitiko? Girdėjau, tave pakėlė į vyresniąsias.

— Pone Devlinai, mums iškilo didelė problema, ir reikia jūsų pagalbos.

— O kur Dilanas?

— Dirba kai ką kita, kartu su Bleiku Džonsonu.

— Ar tai tas FTB vyrukas, kuris vyko su manimi ir Dilanu į Tulamorę, kad išgelbėtų Dermoto Railio kailį? Geras vyras. Gerai, dėstyk. Kada man laukti tavęs?

— Aš jau išskrendu. Apie dvyliktą turėčiau būti.

— Lauksiu.

Jis padėjo ragelį ir nusišypsojo.

Dilanas važiavo Kavaleristų aveniu žaliu mini kuperiu.

— Tai Haris vis dar varo savo bizniuką, — tarė Bleikas.

— O taip, tai įsigėrę jam į kraują. Bet, kaip sakiau, daugiausia užsiima kontrabanda — alkoholis, deimantai ir panašūs daikčiukai, — jokių narkotikų. Jis senamadiškas šeimos žmogus, žino, kas vertinga.

— Kaip ir mes visi, ar ne taip?

Jie įvažiavo į Vopingo rajoną ir sustabdė automobilį šalia "Tamsos žmogaus". Tipiška Londono aludė; tapytas ženklas vaizdavo grėsmingą tipą juodais drabužiais.

Vidurdienį čia žmonių lankėsi mažai, tačiau aludė buvo atidaryta. Jie nuėjo prie pagrindinio baro, kuris alsuote alsavo Viktorijos laikų dvasia: buteliai, išrikiuoti priešais veidrodžius, didžiulis raudonmedžio baras, skleidžiantis specifinį valiklio kvapą, porcelianinės alaus rankenos, laukiančios paspaudimo.

Prie kampinio staliuko sėdėjo trys vyrai, gurkšnodami arbatą ir skaitydami laikraščius: Bilis Solteris, Hario sūnėnas, Džo Baksteris ir Semas Holas.

— Kas čia, vagišių virtuvė? — šūktelėjo Dilanas.

Bilis kilstelėjo galvą ir jo šelmiškame veide pražydo džiaugsminga šypsena.

— Jergutėliau, čia tu, Dilanai, ir mūsų draugas amerikietis, ponas Džonsonas. Mes jus prisimename.

Baksteris ir Holas nusijuokė, o Bilis tarė:

— Na, mes bent ne cypėje, o tai jau gerai. Kokie vėjai jus atpūtė? — Jis viltingai šyptelėjo. — Gal kokie rūpesčiai?

— Pradedi nuobodžiauti, Bili? — nusišaipė Dilanas. — O kur Haris?

— Jis kateryje.

— Tame pačiame?

— Žinoma. Remontuotame. Jo džiaugsmas ir pasididžiavimas. Eime, aš jums parodysiu.

Jie pasuko krantine, praėjo pro keletą valčių, dvejas į vandenį įsmigusias senas baržas. Kai pasiekė katerį, pradėjo lyti. Haris Solteris sėdėjo prie staliuko po apdangalu ir skaitė laikraštį. Dora, vyriausioji "Tamsos žmogaus" barmenė, pylė jam arbatą. Jis patapšnojo jai per platų užpakalį.

— Kaip sakiau, Dora, tavo šikna neįtikėtina.

— Argi jis ne poetas? — tarė Dilanas. — Toks didingas žodynas.

Solteris pakėlė galvą ir nusiėmė akinius.

— Kristau, Dilanai, tai tu. — Tada dirstelėjo į Bleiką. — Ir tas suknistas jankis. Ei, kas čia vyksta? Mėlynos akys sočiame veide iškart surūstėjo. — Problemos?

— Galima sakyti ir taip. Tu man skolingas, taigi atėjo laikas atiduoti skolą. Būtum buvęs lavonas, jei mudu su Bleiku nebūtume pamosavę irklais.

— Gerai gerai. Aš visuomet susimoku skolas. O be to, tu man patinki, Dilanai. Tu kaip ir Bilis. Nemėgsti juokauti. Tikras pamišėlis.

— Nori pasakyti, ieškantis mirties, — pataisė jį Dilanas.

— Būtent, — tarė Bilis. — Tu ir aš, Dilanai, mes kraujo broliai. Tai mes turime problemų?

— Na, jei jų yra, tai jų vardas — broliai Džago.

Bilis pabalo.

— Haroldas ir Tonis, tie du išperos.

— Tai tau jie nepatinka?

— Dilanai, mes draugai, tiesa? — įsikišo Solteris. — Man puikiai sekasi cigarečių verslas iš Europos. Gaunu didelį pelną, moku diferencinius mokesčius. Bet per pastaruosius du mėnesius dingo trys mano kroviniai. Žinau, kad tai brolių Džago darbas, bet negaliu to įrodyti. O kokia tavo problema?

— Toks Džekas Foksas iš Solaco šeimos.

— Koliziejus? — tarė Bilis. — Taip, mes žinome apie juos. Džago veikia išvien su juo. Užsiima apiplėšimais, inkasatorių furgonų pagrobimais.

— Kur galima tikėtis grynų pinigų, — tarė Solteris. — Ką jis tau padarė?

— Foksas įsakė nužudyti Bleiko žmoną. Ji buvo žurnalistė, kuri per daug priartėjo, todėl buvo liepta ja atsikratyti.

— Jėzau, — atsiduso Solteris. — Na ir suknistas niekšas. — Jis pažiūrėjo į Bleiką. — Nežinau, nė ką pasakyti.

— Kad padėsi mums.

— Žinoma, padėsiu. Tik kaip?

— Foksui reikia grynųjų. Gal dar ir negirdėjai, bet vakar mes uždarėme Koliziejų ir kitus lošimo namus.

— Ir kaip, velniai rautų, jūs tai padarėte?

Dilanas atsigręžė į Bleiką.

— Nagi, papasakok jiems.

Kai Bleikas viską papasakojo, Solteris ir vaikinai ėmė raitytis iš juoko.

— Dieve šventas, — prunkštė Bilis. — Tai nuostabu.

— Taip, bet ten buvo ir broliai Džago, o mes žinome, kad Foksui reikia didelio laimikio. Aš noriu, Hari, kad tu įtemptum ausis ir išplėstum akis — sužinok viską, ką gali.

— Būtinai, — Solteris pasitrynė rankas. — Gyvenimas staiga tapo įdomesnis, ar ne, Bili?

Bilis vilkiškai išsišiepė.

— Tai jau tikrai. — Jis atsisuko į Dilaną. — Žinai, skaitinėju tokią knygiūkštę apie filosofiją. Nugvelbiau iš kirpėjo. Geriau už bet kokį romaną. Tas vyrukas, Heidegeris. Ar esi girdėjęs apie jį, Dilanai?

— Tas vokietis. Atrodo, jį labai mėgo Heinrichas Himleris.

— Nesvarbu. Tas Heidegeris sako, kad gyvenimas — tai veiksmas ir aistra, ir kad žmogus vengia imtis veiksmo, nes bijo rizikuoti savo gyvybe.

— Koks tu eruditas, Bili.

— Nesišaipyk iš manęs, Dilanai. Aš neturiu išsilavinimo ir žinau, kad esu plevėsa, bet turiu smegenų. Man patinka skaityti, ir aš žinau, ką reiškia "eruditas" — tai reiškia, kad esu protingas šiknius.

— Aš tuo niekada neabejojau. — Dilanas išsitraukė kortelę ir skubiai užrašė keletą telefono numerių. — Mano namų, mano mobiliojo, Fergiusono buto. Padaryk, ką gali, Hari.

— Būtinai, sūnau.

Dilanas su Bleiku išėjo ant prietilčio, ir Dilanas pamatė keletą oro balionų.

— Ei, Bili, tu vis dar nardai?

— Dabar aš jau nardymo meistras, — atsakė Bilis. — O tu — meistras?

— Tiesą sakant, taip.

— O, eik velniop, Dilanai. Pasimatysime. — Ir Bilis sugrįžo pas dėdę.

“Galfstrymas” neturėjo skiriamųjų Karališkųjų oro pajėgų ženklų, todėl, kai nusileido Dublino oro uoste, buvo nukreiptas į vietą, skirtą privatiems lėktuvams. Aviacijos seržantas Medokas atidarė dureles. Kaip Leisis ir Peris, jis dėvėjo tamsiai mėlyną uniformą, kokią nešioja visi pasaulio lakūnai. Jis išskleidė skėtį.

— Limuzinas prie angaro, — tarė Medokas ir nulydėjo Haną juodo mersedeso link.

Tačiau ten laukė dar vienas automobilis, Gardos policijos mašina. Prie vairo sėdėjo uniformuotas pareigūnas, o šalia — stambus vyriškis gelsvai rudu lietpalčiu ir tvido kepure.

Jis šypsodamasis išlipo iš mašinos.

— Denas Malonė, Specialusis skyrius, vyriausiasis inspektorius. Mes dar nepažįstami.

— O, jūsų pareigos aukštesnės, sere.

— Girdėjau, kad jus pakėlė į vyresniąsias. Kertu lažybų, kad Skotland Jardo Specialiojo skyriaus berniukams tai nepatiko.

— Malonė? Tai bent airiška pavardė. Mūsų skyriuje irgi yra seržantas Malonė, Teris.

— Mano sūnėnas. Motina anglė, gimęs Londone. Ar galime pasikalbėti akis į akį?

Jie pasislėpė nuo lietaus angare, ir Malonė išsitraukė iš suglamžyto pakelio cigaretę.

— Ar rūkote?

— Ne.

— Jums gerai. Gyvensite ilgiau nei aš. Paklausykit, mes dirbame išvien šiomis dienomis — vykdome taikos procesą. Ir žinau apie jus viską, inspektore, kaip ir dauguma iš Dublino Specialiojo skyriaus. Jūsų reputacija aplenkia jus. Fergiusono ir Dilano — taip pat.

— Ką jūs norite tuo pasakyti?

— Kad mes irgi stebime ARK. Be to, jei jus atsiuntė Fergiusonas, vadinasi, kažkas vyksta. Aš pakalbinau jūsų vairuotoją, kuris pasakė, kad turi nuvežti jus į Kilrį, o tai reiškia tik viena. Jūs vykstate pasimatyti su Lajemu Devlinu, tuo senu niekšeliu.

— A, tai jis jums irgi patinka?

— Taip, velniai rautų, patinka. Taigi — ar yra kas nors, ką turėčiau žinoti?

— Man reikia informacijos.

— Ar ji labai svarbi?

— Gali būti. — Tada Hana pabandė laimę. — Kalbam kaip faras su faru?

— Kaip faras su faru.

— Ar jums ką nors sako Brendano Merfio vardas?

— To išperos? Varge, negi tai dėl jo? — Jis paniuro. — Bet jis nepriklauso šiai jurisdikcijai. Jis visuomet laikosi arčiau šiaurinės sienos. O kas yra?

— Kol kas tai tik gandai. Laufo grafystėje gali būti ginklų saugyklos. Brendanas gali būti susijęs su arabų teroristais Libane.

— Ir todėl jūs atvykote pasimatyti su Devlinu?

— Taip. Jei kas nors ką nors ir girdėjo, tai tik jis.

— Nė kiek tuo neabejoju. — Malonė susiraukė. — Informuosite mane?

— Žinoma. Gal mums prireiks jūsų pagalbos.

— Puiku. Tai iki pasimatymo. — Jis palydėjo Haną iki limuzino ir atidarė dureles. — Ir pasisaugokit — nesvarbu, taika čia ar ne taika.

— Kokia taika? — paklausė ji, įsėdo į limuziną ir užtrenkė dureles.

Buvo vos po vidurdienio, kai Hana privažiavo Devlino Viktorijos stiliaus kotedžą, esantį šalia Kilrio kaimo vienuolyno. Liepusi vairuotojui palaukti, ji nuėjo takeliu prie namo ir pasibeldė. Jos atsidarė, ir tarpduryje sustingo nesenstanti Devlino figūra. Jis mūvėjo juodas “Armani” kelnes ir vilkėjo marškinius, kurie dar labiau paryškino jo sidabrinius plaukus ir labai mėlynas akis. Senukas vis dar vadovavo literatūros seminarams Triniti koledže, nors anksčiau buvo aktyvus ARK narys, ne kartą žudęs.

— Jėzau, mergyt, atrodai nuostabiai. — Jis apkabino Haną. — Nepaprastai gražiai. Įeik.

— Jūs irgi neblogai atrodote.

Devlinas nusivedė ją į svetainę.

— Gal norėtum ko nors išgerti? — pasiūlė jis.

— Ne, norėčiau eiti tiesiai prie reikalo.

Hana atsisėdo, ir Devlinas įsitaisė priešais ją.

— Tai dėstyk.

— Ar jūs pažįstate tokį Brendaną Merfį?

Devlino veidas sustingo.

— Ar tas šuo čia įsimaišęs?

— Tai jis toks blogas?

— Blogiausias, kokie jie tik gali būti. — Jis išsiėmė iš sidabrinio dėkliuko cigaretę ir prisidegė ją. — Geriau jau pasakok viską.

Kai Hana baigė, Devlinas kurį laiką niūriai tylėjo.

— Taip, tai panašu į Merfį.

— Aš čia svarsčiau. Iš kur Merfis gautų pinigų, kurių jam reikėtų susimokėti už požeminį ginklų bunkerį ir ginklus?

— Narkotikai. Reketas. Tai, kad valdžia anksčiau laiko išleido tiek kalinių, įterpė Olsterį tarp dviejų Krikštatėvių — lojalistų ir katalikų.

— Ar turite kokios nors informacijos apie Merfio planus?

— Tik labai paviršutiniškos. Kalbama, kad jis tarnavo Libijoje, tačiau ten ne tik treniravosi, bet dar ir dirbo įvairioms arabų grupuotėms. Tik jis Foksui gali surasti ryšių Libane.

— Daugiau nieko?

Jis papurtė galvą, tada prisimerkė.

— Tačiau aš žinau, kas galėtų mums padėti. Bet noriu, jog duotum žodį niekam nesakyti.

— Kas nors iš ARK?

— Būtent.

Hana linktelėjo.

— Prižadu.

Jis paėmė telefono ragelį.

— Pažiūrėkim.

Dubline Maiklas Liris jau rengėsi išeiti, kai suskambo telefonas.

— Liris, — atsiliepė jis.

— Maiklai, sūnau, čia Lajemas Devlinas.
— Jėzau, Lajemai, mano širdis jau kulnuose, nes tai gali reikšti tik tai, kad tau ko nors reikia.
— Iš tikrųjų? Susitiksim “Airių husare”, užkąsim. Tik su manimi bus vyresnioji inspektorė iš Specialiojo skyriaus.
— Ką? Jau Gardos tik man ir trūko.
— Ne, ši iš Skotland Jardo skyriaus, pavarde Bernštain. Ir graži, ir protinga, Maiklai. Dirba su Šonu Dilanu.
— O Dieve, — sudejavo Liris. — Daugiau nenoriu žinoti.
— Tau patiks, sūnau. Tai iki greito, — ir Devlinas padėjo ragelį.
Pakeliui į Dubliną Devlinas nuleido stiklinę pertvarą ir papasakojo Hanai apie Maiklą Lirį.
— Puikus jaunuolis. Mokėsi Karalienės universitete, Belfaste. Skaito anglų literatūrą. Kurį laiką aš jį mokiau.
— O vėliau pasuko į šlovės kelią.
— Jis turėjo savų priežasčių.
— Bet kad išsilavinęs žmogus imtųsi ginklų ir bombų?
— Nori pasakyti, kad visi ARK nariai turi būti statybininkai ir nešioti vinutėmis pakaltus batus? Hana, po Antrojo pasaulinio karo žydai, kovoję už Izraelio sukūrimą, Irguno ir Šterno grupuočių nariai, naudojo ginklus ir bombas, nors daugelis jų buvo baigę geriausius Europos universitetus.
— Supratau.
Devlinas užsirūkė ir pravėrė langą.
— Ir dar galiu paminėti — su savo įprastiniu kuklumu, — kad mane mokė jėzuitai, o vėliau gavau pirmos klasės garbės laipsnį Triniti koledže.
— Gerai, pasiduodu. Negaliu kalbėti. Aš pati žudžiau žmones. Tik man nepatinka bombos.
— Ir man ne.
— Taigi papasakokit dar ką nors apie Lirį.
— Maiklas daugelį metų buvo aktyvistų sąraše. Mes dirbome kartu, tik jam bombos patiko labiau nei man ar tau. Kartą jis važiavo sunkvežimiu į Olsterį, ir šis sprogo. Du žmonės žuvo, ir Liris neteko pusės kairiosios kojos. Gerai, kad tai atsitiko dar nepervažiavus sienos, kitaip būtų baigęs dienas Meizo kalėjime.

— Ir jo aktyvioji karjera baigėsi?

— Kurį laiką jis vadovavo Dublino žvalgybai, bet kai prasidėjo taikos procesas, jis nebeišlaikė. Jis pažįsta Dilaną iš senų laikų, kai jiedu buvo priešingų stovyklų kariai.

— O dabar ką veikia?

— Rašo trilerius. Tuos, kuriuos gali nusipirkti oro uosto kioske, ir jam puikiai sekasi.

— O varge, — Hana paniuro. — Ar jis padės?

— Pasakykim taip: jis kaip ir dauguma kitų šiomis dienomis nori taikos. Taigi pažiūrėsim.

Devlinas nurodė vairuotojui važiuoti Lifi upės įlankos link, ir netrukus jie sustojo prie "Airių husaro".

— Tai mėgstama gerųjų respublikonų ir Sin Feino pasekėjų vieta, o ir maistas čia puikus, — tarė Devlinas.

Užeiga buvo labai senamadiška, su raudonmedžio baru, veidrodžiais, įvairiausiais buteliais. Joje buvo pilna žmonių, ragaujančių gerą paprastą maistą. Liris sėdėjo tolimiausiame kampe. Rankoje jis laikė pintą "Gineso" alaus, o ant stalo garavo airiško troškinio lėkštė.

— Nesikelk, — sulaikė jį Devlinas. — Čia mano draugė Hana, nuo to ir pradėkime.

Liris pažiūrėjo į ją. Jis buvo patrauklus keturiasdešimt penkerių metų vyriškis su žila gija tamsiuose plaukuose. Kiek padvejojęs, ištiesė ranką. Hana irgi padvejojo, tada paspaudė ją.

— Sėskitės.

— Troškinys atrodo skaniai, — tarė Hana, kai priėjo padavėja. — Norėčiau jo paragauti.

— O jūs, profesoriau Devlinai? — pasiteiravo padavėja.

— Tu man meilikauji. — Jis atsisuko į Haną. — Elena studijuoja Triniti. Už savo nuodėmes jai tenka lankyti mano nedažnus seminarus.

— Nesąmonės, jūs geriausias, visi tai žino, — atsiliepė Elena.

— Už tai aš parašysiu tau A. Man visus pusryčius. Didis senas dramaturgas ir novelistas Somersetas Moemas kartą pasakė, kad jei nori Anglijoje gerai papietauti, reikia tris kartus per dieną valgyti pusryčius. Ir Bušmilo viskio, mieloji.

— Man prašyčiau mineralinio vandens, — tarė Hana.

— Vis dar rašai naktimis, Maiklai?

— Koja, Lajemai. Naktį velniškai skauda, ir aš negaliu miegoti, o morfijaus vartoti nenoriu.

— Tavo vietoje geriau vartočiau Bušmilą.

Elena atnešė gėrimus ir pasišalino. Liris grįžo prie savo troškinio.

— Tai apie ką norėjote pasikalbėti?

— Apie Brendaną Merfį. Jis tavo draugas?

— Jis niekieno draugas. Mano nuomone, jis gangsteris. Judėjimo negarbė.

— Ar štabo viršininkas pritartų tavo nuomonei?

— Žinoma. Visi senieji aktyvistai nori taikos, Lajemai, tik tokie kaip Merfis...

— Kurie turi šventą įsitikinimą, kad reikia kovoti toliau, — pratęsė jo mintį Hana.

— Būtent. Tokios frakcijos kaip Tęstinumo ARK, Tikroji ARK turi kitokias programas.

Padavėja atnešė airišką troškinį ir pusryčius, ir visi įniko į valgį.

— Kur Merfis galėtų būti dabar? — paklausė Hana.

— Dievas žino, inspektore, — atkirto Liris. — Jūs geriau nei kas kitas žinote, kad šiomis dienomis tiek Olsteris, tiek JK juos paleidžia į laisvę, užuot uždarę. Merfis gali keliauti kur panorėjęs. Tik turi vengti ARK provizionistų.

— Ar jie susidorotų su juo?

— Be jokios abejonės. Nereikia nė klausti. Mes esame armija, Hana, su savo taisyklėmis ir įstatymais. Tai kuo ir kodėl turėčiau jums padėti?

— Nes prieš penkiolika metų aš išgelbėjau tau gyvybę Dauno grafystėje, kai tave pašovė. Pergabenau per sieną.

— Lajemai, aš atsilyginau už tai, kai tu, Dilanas ir tas jankis vaikėtės Dermotą Railį, ir pasakiau jums, kad jis sugrįžęs ir tikriausiai sėdi savo fermoje Tulamorėje, kur jūs ir nuvažiavote.

— O tada papasakojai viską štabo viršininkui, kuris pasiuntė paskui mus Belą ir Barį, tas dvi beždžiones. Jie kankino Bridžit Raili, cigaretėmis degindami jai veidą.

— Ir tada Dilanas nušovė Belą, o tu — Barį. Iš nugaros. Mes visi atsiėmėme už Dermotą.

— Taip, labai negražu mano amžiaus vyrui, — linktelėjo Devlinas. — Gerai, papasakok jam, Hana.

Ir ji papasakojo. Apie požeminį bunkerį Laufo grafystėje, Foksą, ryšius su Libanu. Viską.

Kurį laiką Liris paniuręs klausėsi, tada tarė:

— Pirmiausia išsiaiškinkime vieną dalyką — aš sakau tai nuo visų provizionistų. Mes neatsisakysime ginklų. Istorija parodė, kad tai būtų neišmintinga.

— Tai jums visai patinka mintis, kad Merfis gali vadovauti tam sandėliui?

— Ne, velniškai nepatinka, štabo viršininkui tai irgi nepatiks.

— Jūs ketinate jam pasakyti? — paklausė Hana.

— Aš neturiu kitos išeities.

— A, nors kartą judu radote šį tą bendra, — tarė Devlinas. — Tai ką gali padaryti, Maiklai?

— Galėtume apieškoti Laufo grafystę, bet ji velniškai didelė, o Merfis turi ten gana kietų draugų, todėl nemanau, kad mums pasisektų. — Staiga jis suraukė kaktą. — Kai ką prisiminiau. Šonas Riganas. Pameni jį, Lajemai?

— Iš Derio laikų, — atsakė Devlinas. — Pašovė karinį policininką ir nusiplovė į Ameriką. Jei gerai pamenu, tas mentas atsigavo.

— Tai buvo prieš dvejus metus. Riganas sugrįžo ir dirbo su Merfiu Europoje. Akivaizdu, kad jis buvo tame lėktuve prieš tris savaites, o dėl rūko buvo priversti leistis Hetrou. Tikrinant keleivius išaiškėjo jo pavardė, ir jis buvo suimtas.

— Įdomu, kodėl aš nieko apie tai nežinau, — susiraukė Hana.

— Pagal mano turimą informaciją, Slaptoji žvalgyba suėmė jį oro uoste, pasinaudojusi vienu iš tų specialiųjų orderių, ir išsivežė. Maniau, kad žinote tai. Negi jūsų skyriai nesidalija informacija?

— Tik kartais.

Devlinas atsisuko į Haną.

— Ką tu manai?

— Jei Riganas dirbo su Merfiu, jis gali šį tą žinoti. Kalbant atvirai, tai geriausias mūsų turimas siūlas.

— Nežinau, kuo dar galėčiau padėti, — tarė Devlinas. —

Maiklas pažers pupas štabo viršininkui, o jei man klius koks trupinėlis nuo stalo, aš tau pranešiu.

Jie atsistojo ir patraukė durų link. Lauke Liris paspaudė Hanai ranką.

— Inspektore, man buvo labai malonu, bet žiūrėkite, kad tai netaptų įpročiu. — Ir jis nuėjo.

Devlinas šyptelėjo.

— Ganėtinai padorus stuobrys. Kad ir kaip ten būtų, važiuosiu su tavimi į oro uostą. Kai tave išleisim, vairuotojas galės parvežti mane namo.

Liris sėdėjo štabo viršininko priemiesčio namo svetainėje ir pasakojo šiam naujienas. Viršininko žmona įpylė jiems arbatos ir padėjo keksiukų.

— Ar aš gerai pasielgiau? — nerimavo Liris.

— Žinoma, gerai. Merfis — pavojingas žvėris. Aš neturiu jam laiko; Armijos taryba — irgi.

— Tai ką mes darysime?

— Paprašysiu, kad mūsų žmonės patikrintų Laufą, nors nelabai tikiuosi, kad ką ras.

— Taigi?

Štabo viršininkas nusišypsojo.

— Jei Fergiusonas ėmėsi šio reikalo su Šonu Dilanu... — jis tebesišypsojo. — Ką gi, nors kartą mes esame toje pačioje pusėje. Šonas atliks purviną darbą už mus.

Hanos limuzinas įvažiavo į angarą, kur jos laukė Leisis ir Peris. “Galfstrymas” stovėjo lietuje. Vos tik Hana ir Devlinas išlipo, privažiavo Gardos policijos automobilis ir Malonė iškišo galvą.

— Lajemai, senas niekšeli, — pasisveikino jis.

— Eik velniop, — nuoširdžiai atsakė Devlinas, ir jiedu paspaudė vienas kitam rankas.

— Ką nors sužinojote? — pasiteiravo Malonė.

Hana suabejojo, bet Devlinas tarė:

— Nagi, jis tavo pusėje.

Ji papasakojo apie susitikimą su Liriu.

— Taigi jei Merfis kažką suka, ARK to nežino, — padarė išvadą Malonė.

— Kaip ten su tuo Šonu Riganu? — paklausė Hana.

— Nieko negirdėjau.

— Vadinasi, kažkas mus mulkina, — tarė Devlinas.

Hana linktelėjo.

— Išsiaiškinsiu, kai sugrįšiu. — Ji ištiesė ranką. — Lajemai, jūs — tikras lobis.

— Velniai rautų, galėtum ir meiliau. — Jis pabučiavo ją. — Pasirūpink savimi ir perduok Šonui, kad saugotų savo užpakalį.

— Tai jis moka. Viso geriausio, inspektoriau.

Leisis ir Peris jau buvo viduje. Aviacijos seržantas Medokas padavė Hanai ranką ir padėjo užlipti laipteliais. Durys užsidarė, varikliai suriaumojo ir "Galfstrymas" nuriedėjo taku.

— Velniška moteris, — tarė Malonė.

— Tai jau tikrai, — nusišypsojo Devlinas. — Dabar gali paleisti savo mašiną ir prisijungti prie manęs šiame prabangiame limuzine, kurį man paskolino mieloji inspektorė. Grįšime į "Airių husarą", kur galėsi pastatyti man labai didelį Bušmilo stiklą.

— Aš — į tą respublikonų irštvą?

— Atrodo, kad tavo jaunesnysis broliukas, Fergiusas, irgi buvo respublikonas.

— Nekalbėkim apie tai.

— Kaip sakiau, važiuojame į "Airių husarą". — Devlinas šyptelėjo. — Mano reputacija bus galutinai sugadinta, kai pasirodysiu ten policininko draugijoje. Tikra paguoda.

"Galfstrymas" yrėsi virš Airių jūros. Hana paskambino Fergiusonui.

— A, štai ir tu. Kaip sekėsi?

Hana informavo jį, nepamiršdama paminėti Rigano.

— Tai štai kaip, sere. Mums turėjo pranešti. Juk skyriai turi bendradarbiauti.

— Nesitikėk to iš Slaptosios žvalgybos, tuo labiau kol Saimonas Karteris yra direktoriaus pavaduotojas. Palik tai man.

Kurį laiką Fergiusonas sėdėjo mąstydamas, tada paėmė telefoną ir paskambino Dilanui.

— Ateikite čia. Ką tik kalbėjausi telefonu su inspektore. Galime turėti rūpesčių.

8

Dilanas su Bleiku įdėmiai klausėsi Fergiusono pasakojimo apie Hanos nuotykius. Kai jis baigė, Bleikas tarė:

— Tai visiškai nepriimtina. Kaip gali vienas žvalgybos skyrius slėpti informaciją, kai ši gyvybiškai svarbi kitiems.

— Taip, Karteris visuomet rūpindavosi tik savimi, o visi kiti tegu eina velniop.

— Man atrodo, jog pats laikas priminti Karteriui, kad ypatinga mano, kaip asmeninės Ministro pirmininko apsaugos viršininko, padėtis suteikia man didelę valdžią. Įskaitant ir jį.

— Kaip norėčiau tai pamatyti, — nudžiugo Dilanas.

Fergiusonas šyptelėjo, paėmė ragelį ir surinko numerį.

— A, Karteri, čia tu? Klausyk, čia kai kas atsitiko, ir man reikia su tavimi pasimatyti. Noriu tavo paramos prieš pasikalbant su ministru pirmininku... Taip? Gerai. Po pusvalandžio "Grenadieriuje".

— Koks ryžtas, — pastebėjo Bleikas.

— Kaip jūs, jankiai, sakote, tu dar nieko nematei. Užsakyk mašiną, Dilanai. Tuoj suieškosiu kokį orderį ar du, ir važiuojam.

"Grenadierius" buvo jauki Londono aludė su senamadiškais tamsaus ąžuolo stalais. Karteris jau sėdėjo kampe, gurkšnodamas šerį. Pamatęs Dilaną, mažas blyškiaveidis ir baltaplaukis vyrukas supyko.

— Tikrai, Fegiusonai, jau esu tau sakęs. Aš prieštarauju tos žudikiškos kiaulės dalyvavimui.

— Pasakyk tai ministrui pirmininkui. Dilanas dirba jam.

— Tegu Dievas saugo tavo garbę, — linksmai nusišaipė Dilanas. — Tikra palaima, kad toks didis žmogus kaip tu leidžia man būti tame pačiame kambaryje.

— Eik velniop!

— Pameni Bleiką Džonsoną? — tarė Fergiusonas.

— Taip, amerikietis. — Karteris nenoromis atkišo ranką ir nusisuko į Fergiusoną. — Tai kas yra?

— Toks ARK renegatas Brendanas Merfis yra kai ką numatęs, ir man reikia sužinoti, ką.

— Nesąmonė, tai seni gandai, Fergiusonai. Merfis nebekelia jokių problemų, ypač dabar, kai kraštą užvaldė taikos procesas.

— Koks puikus gi tu melagis, — tarė jam Dilanas ir atsisuko į Bleiką. — Čia Slaptosios tarnybos direktoriaus pavaduotojas, beveidis žmogus, niekada nevalgęs tos duonos.

— Būk prakeiktas, airiška kiaule, — įniršo Karteris.

— Tai gana rasinė pastaba, — pasakė Dilanas. — Galėčiau kreiptis į tribunolą.

— Būtent, — pritarė Fergiusonas. — Ir kadangi mano šventoji mamulė buvo airė, tai ir aš esu pusiau airis, todėl reaguoju į tai labai asmeniškai.

— Sakyčiau, jūs ką tik įžeidėte jo motinos atminimą, — įsikišo Bleikas.

— Gal galėtume tęsti? — tarė Dilanas. — Prieš tris savaites Hetrou oro uoste suėmei tokį Šoną Riganą, kai jo lėktuvą dėl rūko nutupdė Londone. Kodėl?

— Nebūk kvailas, Dilanai. Prieš porą metų Londonderyje jis pašovė policininką ir pabėgo. Policininkas vos nenumirė.

— Ar ketini atiduoti Riganą Ould Beilio teismui? — paklausė Fergiusonas.

— Galbūt.

— Bet neatiduosi, nes vyksta taikos procesas. Dabar mes juos paleidžiame, o ne uždarome.

Karteris keistai sutriko.

— Nagi, Fergiusonai, mes juk politinių užsakovų rankose.

— Tik ne aš. Mes esame įstatymo rankose. Tiesa ta, kad tu laikai Riganą, norėdamas kažką iš jo išspausti, kuo galėtum pasinaudoti ateityje.

— Tai kas?

— Teks paleisti. Kur jį laikai?

— Vondsvorte, — automatiškai atsiliepė Karteris.

— Jau nebe. — Fergiusonas išsitraukė iš kišenės popierių. — Tai mano, kaip MP apsaugos skyriaus vadovo, orderis, įgaliojantis mane, teisiškai kalbant, perimti Šoną Riganą.

Karteris putojo iš pykčio.

— Paklausyk, Fergiusonai...

— Ne, tai tu paklausyk. Skirtumas tas, kad aš valgiau šitą duoną. Penkiasdešimt antraisiais man buvo aštuoniolika, ir aš jau buvau jaunesnysis leitenantas Korėjos kare. Mačiau daugiau niekšų, nei tu suvalgei pusryčių. Todėl nesiginčyk. Tiesiog pasirašyk orderį. Štai mano parkeris.

Karteris virpančiomis rankomis paėmė rašiklį ir pasirašė dokumentą.

— Mano eilė dar ateis, Fergiusonai.

— Aš taip nemanau. — Fergiusonas papūtė rašalą. — O dabar išeik.

Karteris, staiga suglebęs, atsistojo ir išsvirduliavo.

— Ir kodėl aš nejaučiu jam gailesčio? — tarė Bleikas.

— Nes jis to nevertas, — atsakė Fergiusonas. — Taigi ponai, kita stotelė — Vondsvorto kalėjimas.

Fergiusonas, Dilanas ir Bleikas laukė Vondsvorto kalėjimo pasimatymų kambaryje, kol pagaliau atsidarė durys, ir kalėjimo prižiūrėtojas, išvaizda primenantis kavaleristų seržantą, įstūmė į vidų Riganą.

— Štai ir mūsų mielasis Šonas, — tarė Dilanas. Jis atsigręžė į kitus. — Visuomet kildavo nesusipratimų dėl mūsų, dviejų Šonų.

— Jėzau, negi čia tu, Dilanai? — apstulbo Riganas.

— Kaip mane gyvą matai. Atėjau išgelbėti tave nuo kamerų dvoko. Čia brigadininkas Čarlis Fergiusonas, tavo naujasis bosas. Tas kitas — jankis, iš FTB, todėl pasisaugok.

— Kas čia, po galais, vyksta?

Fergiusonas kreipėsi į prižiūrėtoją.

— Palikite minutėlei mus vienus.

— Žinoma, sere.

Kai jis išėjo, Dilanas tarė:

— Brendanas Merfis. Mes žinome, kad tu buvai jo grupuotės narys.

Riganas suglumo, tačiau pamėgino vaidinti.
— Aš nemačiau Brendano metų metus.
— Tai Karteriui nepavyko nieko iš tavęs išspausti?
— Jau sakiau, nesuprantu, apie ką čia kalbate.
— Negaišink mano laiko, — įsiterpė Fergiusonas. — Prieš dvejus metus Deryje pašovei policininką ir pasprukai į Valstijas. Nuo tada tu ir dirbi Merfiui Europoje.
— Tai melas.
— Nebūk kvailas, — spyrė jį Dilanas. — Tu pašovei mentą. Gerai, jis nenumirė, bet už pasikėsinimą nužudyti Ould Beilio teismas pripirš tau dešimt metų. Įsivaizduok save leidžiantį metus Vondsvorte, o gal net Parkhurste. Bijosi net į dušą nueiti.
— Ne. — Riganas atrodė sukrėstas. — Ponas Karteris sakė, kad jei bendradarbiausiu, nereikės sėsti į kalėjimą.
— Deja, dabar aš čia vadovauju, — paguodė jį Fergiusonas. — Todėl apsispręsk. Patogus saugus namas, kuriame papasakosi mums apie Brendano Merfio darbelius, arba labai nemaloni ateitis.
Riganas beviltiškai sudejavo.
— Brendanas sukapos mane į gabalus. Jis sadistas.
— Todėl mums teks gerai pasirūpinti tavimi.
Jis linktelėjo Dilanui, kuris pabeldė į duris, ir po sekundės pasirodė prižiūrėtojas. Fergiusonas parodė jam orderį.
— Nuveskite šį kalinį į jo kamerą ir leiskite susirinkti daiktus, tada parodykite šį dokumentą valdytojui — tai įsakymas paleisti kalinį mano priežiūrai.
— Tučtuojau, brigadininke.
Prižiūrėtojas išstūmė Riganą pro duris, ir Fergiusonas atsisuko į Dilaną su Bleiku.
— Ką gi, nuvešime jį į Olandų parką, kur tu, Dilanai, išspausi iš jo paskutinius syvus.
— Su malonumu, brigadininke, — atsiliepė Dilanas.

Jie privažiavo prie namo Olandų parke ir įsuko pro elektroninius vartus. Apsaugos darbuotojai dėvėjo tamsiai mėlynas striukes ir flanelines kelnes.
— Globos namai? Kas čia dabar? — pasibaisėjo Riganas.
— Tai tvirtovė, — tarė jam Fergiusonas. — O tie ponai

su striukėmis yra karinė policija. Iš čia kelio atgal nėra; pats tuo įsitikinsi, — jis atsigręžė į Dilaną. — Tegu Helena padeda jam įsikurti ir pamaitina. Judu su Bleiku pasiliekate. Aš vėliau sugrįšiu.

Jo daimleris pajudėjo. Dilanas ir Bleikas nusivedė Riganą laiptais; jo rankos vis dar tebebuvo su antrankiais. Durys atsidarė, ir pro jas išlindo didelis ir stambus vyras.

— Pone Dilanai, sere.

— Seržante Mileri, atiduodame jūsų globai dar vieną, Šoną Riganą. Prieš dvejus metus Deryje jis pašovė karinį policininką.

— Tai tikriausiai buvo Fredas Daltonas. — Milerio veidas buvo akmeninis. — Jis išgyveno, bet liko invalidas. O, aš gerai pasirūpinsiu jumis, pone Riganai.

Jis čiupo savo didžiule kaip lėkštė letena Riganui už peties, bet čia laiptais nusileido Helena Blek.

— Ar čia tas kalinys, seržante Mileri?

Mileris kaukštelėjo kulnais.

— Taip, ponia.

— Gerai. Vesk į dešimtą kambarį, tegu pasideda daiktus, tada svetainėje išgersime arbatos su sumuštiniais.

— Kap pasakysite, ponia.

Riganas atsisuko.

— Kas tai? Kas ji tokia?

— Majorė seržantė Blek, ir nesielk kaip šovinistas, Riganai, — tarė Dilanas. — Jos sąskaitoje du provizionistai ir Karinis kryžius.

— Eik velniop, Dilanai.

— Taip kalbėti damos akivaizdoje negražu. Mes to nepakęsime, ar ne, seržante? — paklausė jis Milerį.

— Tikrai ne, sere. — Jis smarkiai suspaudė kairiąją Rigano ranką. — Nagi, lipame į viršų, ponaiti.

— Kas dabar? — paklausė Bleikas.

— Na, jie turi čia valgyklą. Badu nemirsime, — nusišypsojo Dilanas. — Su Riganu išsiaiškinsime vėliau.

Viršuje Riganas pritrenktas dairėsi aplinkui. Jis turėjo padorų miegamąjį, vonią, vaizdą į sodą — nesvarbu, kad jis matėsi pro grotuotą langą. Jam netgi buvo padėti švarūs marškiniai, striukė ir kelnės — tokios, kaip apsauginių. Mileris nuvedė jį į svetainę, kur degė dujinis židinys. Ant stalo buvo sriubos, kumpio, sumuštinių ir taurė sauso baltojo vyno. Mileris it sfinksas sustingo palei sieną.

Riganas, apsvaigęs nuo taip staiga pasikeitusios aplinkos, tarė:

— Gal galėčiau gauti dar taurę vyno?

— Žinoma, sere.

Mileris įpylė jam taurę šabli, o už veidrodžio jį stebėjo Fergiusonas, Dilanas, ką tik atvažiavusi Hana ir Helena Blek.

— Dabar jau visi viską žinome, — tarė Fergiusonas. — Reikalas bjaurus, todėl reikia pasistengti, kad jis prakalbėtų. Norėčiau, kad dabar nueitumėt ten, majore seržante, kartu su Dilanu.

— Gerai, sere. — Helena Blek linktelėjo Šonui. — Pažaisime gerietį ir blogietį, Šonai?

— Nieko geriau nesugalvočiau. Tai primena man dienas Nacionaliniame teatre.

— Taip, jau esi pasakojęs apie tai. Einam. — Ji išėjo pirmoji. — Bet žaisk pagal mano taisykles.

— Ar man išeiti, ponia? — pasiteiravo Mileris, kai Helena Blek ir Dilanas įžengė į svetainę.

— Ne, man gali jūsų prireikti, seržante. — Jos balsas buvo nuožmus ir negailestingas. — Tai ARK provizionistų narys. Jis suluošino Fredą Daltoną. Kaip manai, ar Fredas buvo vienintelis?

— Abejoju, ponia, — šaltai atsiliepė Mileris.

— Taip, todėl norėčiau, kad uždėtum jam antrankius, seržante. Žudikas lieka žudiku.

— Klausau, ponia.

— Nagi, paklausykit, — ėmė priešintis Riganas.

— Tiesiog ištiesk rankas ir elkis gražiai.

Riganas ėmė prakaituoti iš susijaudinimo. Tris savaites jis praleido Vondsvorte, kur gamtinius reikalus teko atlikinėti į kibirą, dukart per savaitę eidavo į dušą, kentė priešišką kitų kalinių elgesį, ypač anglų nusikaltėlių, kurie nekentė ARK. Šios aplinkos ir elgesio su juo kontrastas kalbėjo pats už save. Jis jau buvo bepagalvojęs, kad viskas bus gerai, bet dabar, pamatęs šią moterį, kuri atrodė kaip jo vyresnioji sesuo, o elgėsi kaip gestapininkė, ėmė nerimauti.

Helena atsisagstė švarką ir parodė iš dėklo kyšantį koltą.
— Pradedam.
Prie grupės kitoje veidrodžio pusėje prisijungė Roperis.
— Ji puikiai vaidina.
— Nepakartojama, — pritarė Bleikas.
— Ir vis tiek atsisako priimti laipsnį, — tarė Fergiusonas.
— Jūs negalite jos nupirkti, sere, — įsikišo Hana.
— Žinau, — atsiliepė Fergiusonas, — ir labai gailiuosi.
O tada Helena Blek ėmėsi darbo.
Jos pasikeitimas buvo pritrenkiantis. Toji maloni, padori anglė staiga virto visiškai kitu žmogumi.
— Metų metus kovojau su tokiais kaip tu. Bomba ar kulka, moterys ar vaikai — man buvo tas pats. Du jūsų išperas nušoviau Deryje. Jie parkavo furgoną, kuriame buvo penkiasdešimt svarų semteksų šalia seselių bendrabučio. Mes juk negalėjome šito leisti, ar ne? Mane pašovė į kairiąją šlaunį, tada aš nušoviau tą niekšą ir pribaigiau jo draugą, kai jis bandė pabėgti.
Riganas pašiurpo.
— Dėl Dievo meilės, kas jūs per moteris?
Ji sugriebė jį už smakro ir skaudžiai pasukiojo.
— Apačių indėnai belaisvius atiduodavo moterims, kad šios juos apdirbtų. Aš tokia moteris.
— Nuostabu, — žavėjosi Fergiusonas. — Ji turėtų vaidinti Nacionaliniame teatre.
— Tu suluošinai mano draugą Fredą Daltoną. — Helena išsitraukė koltą ir įrėmė jį Riganui į tarpuakį. — Jis užtaisytas, padugne. Tereikia nuspausti gaiduką, ir tavo smegenys ištikš ant sienų.
— Dėl Dievo meilės, nereikia! — šūktelėjo Riganas.
Dilanas sučiupo ją už riešo ir nukreipė ginklą.
— Ne, majore seržante, taip negalima.
— Aš dar grįšiu, — tariamai įniršusi sušnypštė ji ir apsisukusi išėjo iš svetainės.
Riganas drebėjo. Dilanas paliepė Mileriui:
— Nuimkit antrankius, seržante, jis niekur nepabėgs.
— Kaip pasakysite, sere.
Mileris priėjęs nusegė antrankius. Dilanas atidarė savo

sidabrinę cigarinę, išėmė dvi cigaretes, pridegė jas ir padavė vieną Riganui.

— Prašom — visai kaip "Vojadžeryje".

Riganas vis dar virpėjo.

— Apie ką, velniai rautų, tu čia kalbi?

— Nekreipk dėmesio, Šonai, turiu silpnybę seniems filmams. Dabar paklausyk. Aš pasielgiau protingai. Mane būtų sušaudę serbai, bet Fergiusonas — nepaprastai įtakingas žmogus. Jis išgelbėjo man gyvybę, o aš savo ruožtu lioviausi dirbęs kilniam tikslui ir pradėjau dirbti jam. Todėl aš gyvas. — Riganas negalėjo liautis virpėjęs, ir Dilanas pamojo Mileriui. — Didelį brendžio, seržante.

— Tučtuojau, sere.

Mileris atidarė spintelę ir sugrįžo su stiklu gėrimo, kurį Riganas ištuštino vienu mauku. Jis pakėlė akis į Dilaną.

— Ko tu nori?

— To, kas geriausia tau. Matai, dabar viskam vadovauja Fergiusonas, o tu juk pašovei Daltoną. Taika ar ne, bet jis gali atiduoti tave teismui, jei tik to panorės.

Kitoje veidrodžio pusėje Fergiusonas tarė:

— Dabar įsikiškite jūs, majore seržante.

Helena Blek sugrįžo į kambarį, mojuodama kažkokiu dokumentu.

— Gerai, pakaks. Grąžiname tave atgal į Vondsvortą, niekše.

Riganas išskydo:

— Dėl Dievo meilės, tik pasakykite, ko jūs norite, pasakykite gi man.

— Nuostabu, — tarė Roperis. — Tikras gestapas. Jie naudojo kur kas mažiau fizinės prievartos, nei žmonės mano. Jiems ir nereikėjo. Jie paprasčiausiai suknisdavo protą.

— Mes jo nesutriuškinsime, — tarė Fergiusonas Hanai. Jis atsisuko į Roperį. — Judu su Bleiku pasilikite čia. O jūs, inspektore, eikite kartu su manimi ir atlikite Skotland Jardo vaidmenį.

Fergiusonas ir Hana įėjo į svetainę ir tarė Mileriui:

— Duokite jam dar brendžio, seržante.

— Sere. — Mileris padarė kaip lieptas. Riganas virpančiomis rankomis sugriebė stiklą ir ištuštino jį.

— Tai ar mes susitarėme?

— Priklauso nuo to, ką gali man papasakoti.

Riganas dirstelėjo į Dilaną, ir šis tarė:

— Brigadininkas kietas žmogus, Šonai, bet moralistas. Jis laikosi savo žodžio.

— Pone Riganai, aš — vyresnioji inspektorė Bernštain iš Specialiojo skyriaus, — įsiterpė Hana. — Mus domina, ar jūs padėsite mūsų tyrimui apie Brendano Merfio veiklą.

— O ką jūs norite sužinoti? — paklausė Riganas.

— Žinome, kad kažkur Laufo grafystėje yra požeminis ginklų bunkeris.

— Semteksai, automatai, minosvaidžiai, — tęsė Dilanas. — Užtektinai, kad būtų galima pradėti pilietinį karą. Kur jis, Šonai?

— Netoli Kilbego, — atsakė Riganas.

— Jėzau, sūnau, Airijoje pilna Kilbegų.

— Na, šis yra Laufe, kaip ir sako inspektorė, šiek tiek į pietus nuo Respublikos sienos ir į pietus nuo Dandalko įlankos. Netoli Dananio kyšulio. Labai nuošali vieta.

— Žinau tą vietovę, — tarė Dilanas.

— Ten ilgai neištemptum, Dilanai. Jie keisti žmonės. Svetimi jiems tarsi skaudantis nykštys.

— Konkrečiau, — pareikalavo Fergiusonas.

— Kai paspruka į Valstijas, man padėjo turtinga airių amerikiečių grupė, prijaučianti radikalams. Jiems nepatiko taikos procesas. Aš tarpininkavau sudarant didelį finansinį sandėrį su Brendanu. Pelnas turėjo būti skirtas ateičiai, kitam karui.

— Tam ir buvo reikalingas bunkeris, — tarė Fergiusonas.

— Bet iš kur ginklai? — paklausė Dilanas.

Už veidrodžio Roperis žymėjosi atsakymus.

— Per ryšius su mafija. Brendanas dirbo jai Europoje. Tokiam vyrukui, Džekui Foksui.

— Solaco šeimos veidui? — pasitikslino Hana.

— Aš visuomet maniau, kad jis atstovauja tik sau. Jis tiekė ginklus.

— Kas dar? — spyrė Hana. — Pavyzdžiui, ryšiai su Libanu?

— Jėzau, negi jūs viską žinote?

— Dėstyk, — paliepė Dilanas.

— Prieš keletą metų Brendanas praėjo apmokymą Libijoje, todėl turi gerus ryšius su arabais, gali net susikalbėti — na, bent jau užsisakyti maisto.

— Ir? — nekantravo Fergiusonas.

— O Foksas kontroliuoja Solaco šeimos narkotikų operacijas Rusijoje, taigi irgi turi plačius ryšius. Merfis turi ryšių su arabais.

— Su kuriais arabais?

Riganas padvejojo.

— Su Sadamu. Irake.

— Kaip puiku, — tarė Dilanas. — Ką jie sumanę?

— Kitą savaitę iš Juodosios jūros turi išplaukti krovininis laivas "Fortūna". Jei viskas vyks pagal planą, kitą antradienį jis bus Al Šarize, į pietus nuo Beiruto.

— Įgula rusų? — toliau tarė Dilanas.

— Ne, arabų. Visa Dievo armija.

— O krovinys? — Riganas dvejojo. — Nagi, sakyk, koks tai krovinys?

— Plaktukų galvutės.

Stojo pauzė, tada Hana atsisuko į Fergiusoną.

— Plaktukų galvutės, sere?

Atsidarė durys, ir įėjo Bleikas.

— Atleiskite, brigadininke, bet aš žinau, kas tai yra. Tai trumpo nuotolio raketos, montuojamos ant trikojo, kuriam sustatyti tereikia poros minučių. Nuotolis — trys šimtai mylių. Su branduoliniais antgaliais. Izraelio ar Jordanijos nenušluotų nuo žemės, bet Tel Avivas atrodytų nekaip.

Fergiusonas atsigręžė į Riganą.

— Ar pasakei tiesą, ar viską pasakei?

Riganas vėl padvejojo.

— Brendanas bus laive. Kai jie nuplauks į vietą, juos pasitiks Foksas ir atsilygins. Auksu. Penki milijonai.

— Dolerių ar svarų? — paklausė Dilanas.

— Iš kur, velniai rautų, man žinoti? Tik girdėjau, kad sandėris įvyks laive, nes norima susitarti dėl dar vieno krovinio — po mėnesio.

— Ir visa tai tiesa? — dar kartą paklausė Fergiusonas.

— Taip, kad jus kur.

Fergiusonas pažiūrėjo į Heleną ir Milerį.

— Nusiųskite jį atgal į kambarį.

Jie paėmė Riganą už parankių ir išlydėjo iš kambario. Jiems išėjus, į svetainę įriedėjo Roperis.

— Man šovė mintis, — tarė jis. — Turiu informacijos apie Fokso lėktuvą. Jis stovi Hetrou, jei gerai pamenu. Reikia patikrinti jo judėjimą.

Visi nusekė Roperiui iš paskos į atskirą butą pirmajame aukšte, kur buvo sustatyti įrengimai. Roperis įjungė kompiuterį ir jo pirštai ėmė bėgioti klavišais.

Po kurio laiko jis krenkštelėjo.

— Foksas turi užsisakęs vietą ir laiką Hetrou oro uoste pirmadienio rytui, paskirties taškas — Beirutas.

— Nuostabu, — pasakė Dilanas. — Riganas sakė tiesą.

— Tai kas toliau? — pasiteiravo Hana.

— Mes negalime pasiųsti Specialiosios oro tarnybos lėktuvo, todėl reikia sugalvoti kažką subtilesnio. Mes juk turime reikalų su Foksu, — tarė Fergiusonas.

— Izraeliui tai nepatiks, brigadininke, — perspėjo Hana.

— Būtent apie tai aš ir galvoju. — Fergiusonas atsisuko į Dilaną. — Kartą judu su inspektore skridote į Beirutą. Buvote apsistoję Al Bustane.

— Kaip galėjau tai pamiršti? Vairas į nepakartojamus romėnų griuvėsius.

— Prisimeni mano žmogų, Validą Chasaną?

— Labai gerai. Libaniečių krikščionis. Jis ir inspektorė gana gerai sutarė. Nenuostabu, turint galvoje, kad iš tikrųjų jis buvo Mosado majoras Gideonas Kohenas.

— Dabar jau pulkininkas leitenantas.

— Pamenu, jis turėjo gražią seserį Anią. Leitenantę.

— Dabar kapitonę.

— Ir dar buvo vienas — koks jo vardas? Kapitonas Mošė Levis?

— Majoras. Viskas keičiasi šiame pasaulyje, Dilanai.

Taip, manau, kad pulkininką Koheną tai sudomintų. Aš jam paskambinsiu.

Pulkininkas leitenantas Gideonas Kohenas vilkėdavo uniformą tik tam tikromis progomis. Dabar, sėdėdamas savo kabinete viršutiniame izoliuoto Tel Avivo pastato aukšte, jis vilkėjo baltus marškinius, mūvėjo drobines kelnes ir visiškai nepriminė Mosado karininko. Jam buvo keturiasdešimt devyneri, tačiau veido oda atrodė dar gana lygi, o juodi plaukai siekė pečius.

Jo sesuo kapitonė Ania Šamir sėdėjo prie stalo kampe ir dirbo kompiuteriu. Jos vyras žuvo Golano aukštumose, ir nuo tada ji našlavo.

Kitame kampe, prie antrojo kompiuterio, sėdėjo majoras Mošė Levis. Jis buvo uniformuotas, nes turėjo eiti į Armijos štabą, todėl dėvėjo chaki marškinius ir kelnes su desantininko sparnais ir atributika. Suskambo Gideono Koheno telefonas.

— Čia Fergiusonas, — tarė balsas. — Ar tu koduotas? Aš — taip.

— Mano brangusis Čarli, žinoma, kad taip. — Kohenas mostelėjo Aniai ir Mošei. — Fergiusonas iš Londono.

Jis paspaudė garso mygtuką ant telefono aparato.

— Čarli, seni.

— Nevadink manęs seniu vien todėl, kad pats buvai Sandhurste. Bet džiaugiuosi galėdamas pasakyti, kad mano laipsnis vis dar aukštesnis.

— Kas nors ypatinga, Čarli?

— Smirdantis reikalas Libane.

— Pasakok.

Ir Fergiusonas papasakojo.

Kai jis baigė, Kohenas tarė:

— Plaktukų galvutės. Mes negalime to leisti.

— Po vienos tokios galvutės Jeruzalė taptų nepanaši į save.

— Būtent. Čarli, man reikia tai apsvarstyti.

— Nori pasakyti, kad tau reikia pasikalbėti su savo dėde generolu?

— Deja.

— Jokių problemų. Bet tai juodas reikalas, Gideonai. Per daug nepasakok.

Generolas Arnoldas Kohenas, Pirmojo Mosado skyriaus galva, atsakingas už veiklą arabų vietovėse, sėdėjo savo kabinete ir niūriai klausėsi sūnėno.

Kai šis baigė, dėdė tarė:

— Plaktukų galvutės. Tai labai rimta.

— Tai ką darysime? Apšaudysime tą laivą iš oro?

— Libano vandenyse? Eik jau, Gideonai, mes turime elgtis gražiai, kol mūsų draugai anglai ir amerikiečiai kritikuoja Sadamą.

— O jis tuo tarpu pasirūpins, kad galvutės išsprogdintų mūsų užpakalius.

Jo sesuo Ania, stovinti su Leviu prie lango, įsiterpė:

— Ar galiu kai ką pasakyti, dėde?

— Žinoma, gali. Nuo tada, kai išmokai kalbėti, tu ieškai sau nemalonumų, tai kodėl šį kartą turėtų būti kitaip?

— Kodėl mums nepasinaudojus Dilanu, dėde? Jis tikras velnias, tasai Dilanas, — prisimenat, kaip prieš keletą metų mes kartu dirbome Beirute? Jis neįtikėtinas.

— Ji teisi, — pritarė Levis. — Svarbu, kad laivas ir jo krovinys būtų sunaikinti be mažiausio triukšmo, taip?

— Ir?

— Mes organizuosime nedidelę operaciją. Jei prisidėtų Dilanas, mes trise — Ania, Mošė ir aš — galėtume susitvarkyti Al Šarize. Reikia tik gerų priemonių, ir mes iškelsime tą prakeiktą laivą į orą.

— Jis teisus, — tarė Gideonas Kohenas. — Jokios viešumos. Jokių bombardavimų.

— Man tai patinka, — tarė generolas. — Vykdykit.

— Gerai, Gideonai, — sutiko Fergiusonas. — Atsiųsiu Dilaną. Ir jo kolegą amerikietį, kuris dirba tiesiogiai prezidentui. Jis bus labai naudingas. Duodu ragelį Dilanui.

Po minutėlės Dilanas tarė siaubinga hebrajų kalba:

— Kaip gyvuoji, niekingas šunie?

— Dilanai, atrodo, kad mes turime bendrų reikalų.

Jie perėjo į anglų kalbą.

— Nesu tikras, kaip mes tai padarysime, — tarė Dilanas. — Jei norime išsprogdinti laivą vandenyje, mums reikia minų, semteksų, nardymo įrangos.

— Mes tuo pasirūpinsime. Didelio triukšmo nekelsime. Tik aš, Levis, mano sesuo, tu ir tas amerikietis — iš viso penki. Nenorime atkreipti dėmesio, nors viskas labai pasikeitė nuo tų laikų, kai kartu dirbome Beirute, mano drauge. Dabar čia jau nėra tokia karo zona, kokia buvo. Žmonės stengiasi atstatyti infrastruktūrą, plėtoti turizmą ir panašiai.

— Kur galėtų apsistoti Foksas? Beirute?

— Ne, Al Šarize yra tokia sena maurų vietelė, perdaryta į viešbutį. Sakyčiau, jis apsistos ten. Jis vadinasi "Aukso namai".

— Nelabai paranku mums.

— Jokių problemų. Mes atplauksime motorine jachta, kaip kokie turistai. Tu su savo draugu galėsite likti laive.

— Bet mes negalime rodytis "Aukso namų" bare. Nenoriu, kad Foksas sužinotų, jog tai mūsų darbas. Geriau jau jis manytų, jog tai izraeliečių veikla.

— Ar pameni mano seserį Anią?

— Kaip galėčiau ją pamiršti? Ji suvaidino naktinę peteliškę geriau už pačią peteliškę.

— To užteks, kad Foksas pakliūtų į spąstus.

Dilanas nusijuokė.

— Tikrai užteks.

— Judu su Džonsonu, aš ir Levis pasiliksime mūsų laive, "Pamyre". Ania pabandys išspausti iš to vyruko kuo daugiau. Kai tik būsime pasiruošę, pasiųsime "Fortūną" į gelmes.

— Jūs, izraeliečiai, tokie padorūs žmonės, — tarė Dilanas. — O laivą su visa įgula nė nemirktelėję pasiųsite į dugną.

— Nė nebandę mirktelėti, — atsiliepė Kohenas. — Iki pasimatymo.

Dilanas padėjo ragelį, ir Fergiusonas atsiduso:

— Ką gi, vėl pradedam.

— O kaip aš, sere? — pasiteiravo Hana Bernštain.

— Tik ne šį kartą, inspektore. Dabar užteks Dilano su Bleiku ir draugų iš Mosado. Bet jūs galėtumėt padirbėti su mūsų draugu Riganu ir išsiaiškinti, kur tas bunkeris. — Jis atsisuko į Roperį. — Esu tikras, kad majoras su džiaugsmu jums padės.

— Su malonumu, sere, — atsiliepė Roperis.

— Atleisk, Hana, myliu tave, bet turiu palikti. — Dilanas atsisuko į Bleiką su keista susijaudinimo išraiška veide. — Tai ką, drauguži, vėl grįžtame į karo zoną!

LIBANAS
AL ŠARIZAS

9

Brendanas Merfis persilenkė per nedidelio krovininio laivo turėklus ir įsižiūrėjo į tolimas Sirijos šviesas. Laivas buvo registruotas Italijoje ir akivaizdžiai matęs geresnių dienų, tačiau po apšiurusia išore puikiai stukseno pagrindinės jo dalys — varikliai. Prieš dvi dienas jie paliko Juodąją jūrą ir iki šiol jiems sekėsi puikiai.

Prie jo prisiartino vyras jūrininko apsiaustu, laikydamas rankose puodelį su kava. Jis padavė puodelį Merfiui. Jo vardas buvo Dermotas Kelis; plaukai nemadingai airiškai šviesūs, o veidas nelygus ir piktas. Jis prisidegė cigaretę.

— Jėzau, Brendanai, tie suknisti arabai, toji įgula. Jei užsirūkau salone, jie visi ima dėbčioti į mane. Gerai, kad turiu butelį su savimi.

— Fundamentalistai, — atsiliepė Merfis. — Dievo armija. Jie pasiryžę numirti, kad tik įtiktų Alachui, patektų į rojų, patirtų amžiną malonumą ir turėtų visas tas moteris.

— Jie pamišę.

— Kodėl? Tu manai, kad mes, katalikai, visada teisūs, o jie, musulmonai, klysta? Baik jau, Dermotai.

Nuo tiltelio kopėtėlėmis nusileido arabas. Tai buvo laivo kapitonas, vardu Abdulas Savaras.

— Kaip sekasi? — pasiteiravo Brendanas.

— Puikiai. Atplauksime laiku.

— Tai gerai.

— Kas nors ne taip? — paklausė Savaras.

— Aš pasiilgau kiaušinienės su kumpiu pusryčiams, — tarė jam Kelis.

— Mes stengiamės, pone Keli, bet kai kurie dalykai yra neįmanomi.

— Jūs tikriausiai susidurtumėt su atvirkštine problema Dubline, — nesiliovė Kelis.

— Būtent.

Savaras užlipo kopėtėlėmis, o Merfis nuramino Kelį.

— Nedrumsk vandens, Dermotai. Negali tikėtis gauti geros airiškos kiaulienos itališkame laive su arabų fundamentalistų įgula Sirijos pakrantėje.

— Gerai, tada galvosiu tik apie pinigus.

— Auksą, Dermotai, auksą. Kad jau užsiminiau, reikia patikrinti.

Jis nuėjo į laivo galą ir nusileido trapu į galinį saloną. Jame buvo dvi dėžės, susuktos į maišus.

Dermotas prisidegė cigaretę.

— Atrodo it šlamštas.

— Penki milijonai auksu, Brendanai.

— Iš kur mums žinoti?

— Nes Sadamas nori, kad kitą mėnesį pristatyčiau dar vieną krovinį, todėl nemanau, kad jis imtų mulkinti mus su šiuo.

— Manai, kad išdegs?

— Viskas apskaičiuota iki smulkmenų. Foksas atskrenda lėktuvu. Mes iškrauname auksą, nuvežame jį į Beiruto oro uostą, kur kai kurie pareigūnai jau patepti iš anksto. Lėktuvas turėtų skristi į Dubliną, bet pakeliui nusileis į seną oro pajėgų bazę Laufe. Mes išsikrausime mūsų dalį, o Foksas, paskelbęs apie nukrypimą nuo kurso dėl oro salygų, skris toliau.

— O kur jis skris?

— Tikriausiai į Hetrou, bet pakeliui, kai lėktuvas pasieks nekontroliuojamą oro erdvę, dar kartą nusileis savo valdose Kornvalyje, kurios vadinasi Pragaro žiotys. Ten nuo Antrojo pasaulinio karo išlikęs KOL aerodromas. Takelis gana grubus, tačiau tokiam lėktuvui kaip “Galfstrymas” nieko neatsitiks.

— Skamba puikiai, Brendanai.

— Ir man taip atrodo, Dermotai.

Kelis nusišypsojo ir išsitraukė iš kišenės pusę butelio “Pedi” viskio. Nugėręs geroką gurkšnį, ištiesė butelį Brendanui.

— Už airišką kiaulieną, kiaušinius, duoną ir lietų. — Jis šyptelėjo. — Pasiilgau lietaus, Brendanai. Gero airiško lietaus.

Gideonas Kohenas, jo sesuo ir Mošė Levis išplaukė iš jachtų prieplaukos netoli Haifos kateriu, niekuo neišsiskiriančiu iš kitų tokių, turistų nuomojamų nardymui. Gale gulėjo oro balionai, apačioje buvo septynios kajutės, virtuvė ir kiti patogumai.

Kohenas turėjo britų pasą, išduotą Džiulijano Granto vardu; jo sesuo ir Levis tapo ponia ir ponu Frobišeriais, irgi britais. Jų legendos buvo be priekaištų, ir Libanas, ištroškęs turistų pinigų, be vargo suteikė vizas ir išleido į Al Šarizą.

Kohenas stovėjo prie šturvalo, Levis rymojo šalia, o Ania dairėsi pro pusiau pravertą langą.

— Pakartojam dar kartą, — tarė jos brolis. — Judu su Moše užsiregistruosite “Golden Pelis” viešbutyje. Ir nepamiršk, Moše, kad kambariu dalysiesi su mano seserimi.

— Kaip galėčiau tai pamiršti, pulkininke?

— Foksas užsiregistravo su tais dviem banditais Falkone ir Ruso. Tu, Ania, suvaidinsi laisvo elgesio merginą bare — gal pavyks išpešti kokios informacijos.

— O varge, — atsiduso ji. — Štai ir vėl. MGM, šešta scena, kekšė.

Jos brolis nusišypsojo ir apkabino laisva ranka.

— Ne, labai patraukli kekšė. — Jis papurtė galvą. — Šis reikalas pavojingas, sesut. Mes negalime suklysti.

— Mes bent jau turime Dilaną.

Jis garsiai nusijuokė.

— Dieve mano, taip, vargšelė “Fortūna” net nenutuokia, kas jos laukia.

Pakeliui į Beirutą Dilanas tarė Bleikui:

— Taigi mus domins elektronikos gamyklų kūrimas, bendra anglų ir amerikiečių įmonė, darbo vietos visiems. Atvykome trims dienoms.

— Manai, viskas bus gerai?

— Žinoma, ne. Žmonės bando atstatyti šalį, bet juos supa tokie, kurie pasirengę nukąsti vienas kitam kiaušus.

— Ir tada mes prisijungiame prie Koheno kompanijos it kokie atostogaujantys nardytojai.

— Ir pasiunčiame "Fortūną" į dugną — su visomis galvutėmis ir kitkuo.

— O įgula?

— Žudikai fanatikai. Jei nenorėtų rizikuoti, jų nebūtų laive.

— Bet, Dilanai, laive penki milijonai aukso.

— Taip, argi tai, kaip sako Fergiusonas, neskanu? Jis irgi keliaus į dugną. Koks žavus posakis tokiam žaviam daiktui. — Jis pamojo aviacijos seržantui Medokui. — Atnešk man dar viskio! Aš jau švenčiu įsivaizduodamas, kaip jausis Džekas Foksas.

Foksas užsiregistravo "Golden pelis" viešbutyje su Falkone ir Ruso. Jam skyrė gražų kambarį pirmajame aukšte — marmuras, kilimai, maurų nuotaika. Jis jautėsi puikiai. Koliziejus liko tik blogas prisiminimas, tuo labiau, kad jo advokatai sako, jog viską galbūt pavyks sutvarkyti. Sutvarkys jie ar ne, bet auksą jis tikrai gaus. Be to, grynieji, kuriuos jam skolingas Merfis, dar labiau pataisys reikalus.

— Viskas gerai, sinjore? — paklausė Falkonė.

— Geriau nebūna. Šiąnakt lemiama naktis, Aldo. Viena preke vis dar gali pasitikėti. Ar pasitikrinai uoste?

— Taip, sinjore, "Fortūna" atplaukia dešimtą. Įgula — dvylika arabų. Jie išplaukė Juodąja jūra užvakar.

— Kur jie švartuosis, prieplaukoje?

— Ne, joje nėra vietų. Už kelių šimtų jardų nuo vartų į įlanką.

— Puiku. Einu, nusimaudysiu po dušu, tada vakarieniausime. Pasimatysime vėliau.

Jų lėktuvas nusileido vėlyvą popietę. Dilanas ir Džonsonas užsiregistravo kaip Raselas ir Gontas ir taksi išvažiavo į Al Šarizą. Pakeliui Dilanas paskambino Kohenui į mobilųjį telefoną.

— Lafajete, mes jau čia. Sakau tai ir nuo Bleiko.

— Mes irgi čia. Žemutinėje jachtų įlankoje. "Pamyras" — trečia prieplauka.

— Iki pasimatymo. — Dilanas išjungė savo telefoną ir perdavė informaciją vairuotojui.

Kohenas iš katerio stebėjo, kaip "Fortūna" meta inkarą. Po kurio laiko jis tarė Aniai:

— Tau metas. Aš tenoriu sužinoti, ką jis sumanęs. Gal tai padėtų mums numatyti jo veiksmus.

— Žinoma, — tarė ji.

— Ir dar kai kas. — Jis keistai sumišo. — Pareiga yra pareiga, bet tu mano mylima sesutė. Nesiartink prie jo per daug. Jis pavojingas.

Ania pakštelėjo jam į skruostą.

— Ei, broliuk, nesijaudink.

Ji užsiregistravo viešbutyje, persirengė, tada nusileido į barą. Ania atrodė nuostabiai — juoda mini suknelė, ilgi tamsūs plaukai — tikra gražuolė. Ji atsisėdo prie baro, ir Foksas, sėdintis su Falkone ir Ruso prie lango, iš karto ją pastebėjo. Foksas linktelėjo Falkonei, atsistojo, priėjo prie baro ir prisėdo šalia.

— Sveika.

— Amerikietis! — nusišypsojo ji. — Ką čia veikiate?

— Tiriu turistines perspektyvas, — slidžiai atsiliepė jis. — O jūs?

— O aš atvykau iš Londono su savo vyru tais pačiais tikslais.

— Su vyru? — nusivylė Foksas.

— Na, jį iškvietė į Tel Avivą. Paliko mane vieną trims dienoms.

Foksas uždėjo ranką ant jos rankos.

— Kaip siaubinga palikti tokią gražią damą vieną. Bet dabar jūs turite mane. Ar jau vakarieniavote?

— Ne.

— Prisijunkite prie manęs.

Ania sutiko. Vakarienė, pusiau arabiška, pusiau europietiška, buvo soti, gausiai laistoma "Kristal" šampanu. Ji kantriai kentė jo ranką ant savo šlaunies ir laukė. Pagaliau Falkonė, kuris stovėjo prie lango, atsiliepė į telefono skambutį, priėjo prie Fokso ir kažką sušnabždėjo.

Foksas spustelėjo jai šlaunį.

— Paklausyk, man reikia eiti.

— Kaip gaila.

Buvo dešimta valanda. Foksas tarė:

— Aš užtruksiu porą valandų. Ar tu dar būsi čia?

— Žinoma. Iki pasimatymo.

Foksas ir Falkonė išėjo. Ania pasekė juos ir pasislėpusi palmių šešėliuose pasiklausė pokalbio terasoje.

— "Fortūna" atplaukė, sinjore.

— Gerai. Auksą iškelsime per dvi valandas.

— Tik vieno nesuprantu, — tarė Falkonė. — Tos galvutės trumpo nuotolio?

— Tikrai taip.

— Nieko nesuprantu. Juk mes kalbame apie Iraką. Jos negali šaudyti iš Irako.

— Aldo, tu nesupranti. Jas labai paprasta sumontuoti ir iššauti. "Fortūna" bus šaudymo pakyla. Visa įgula, kaip žinai, yra Dievo armija. Jie visi trokšta nušluoti Tel Avivą nuo žemės paviršiaus. Dėl Jeruzalės tai jie keistai galvoja. Juk pagaliau tai antras pagal svarbą musulmonų miestas.

— Dieve, tie žmonės tikri gyvuliai.

— Priklauso nuo to, kaip į tai pažiūrėsi. O dabar judam.

Ania paskambino broliui ir perdavė informaciją.

— Gerai, o dabar dink iš ten, — paliepė Gideonas. — Laukiu tavęs pusvalandį.

"Pamyre" Dilanas, Bleikas, Kohenas ir Levis sėdėjo po storu apdangalu ir studijavo uosto žemėlapį, kai atvažiavo Ania. Ji sumokėjo taksistui ir įžengė į katerį.

— Jėzau, moterie, — aiktelėjo Dilanas. — Atrodai kaip iš šešiasdešimt ketvirto "Vogue" žurnalo puslapio. Turėtum būti jauna žydė motina, besirūpinanti vaikais ir sunkinanti vyrui gyvenimą. O tu vis lakstai ir šaudai blogiečius.

— Tokia jau mano prigimtis, Dilanai. Kas tavo draugas?

— Bleikas Džonsonas. Buvęs FTB agentas, dabar dirba prezidentui, todėl prašau gerbti ir mylėti.

Ania paspaudė Bleikui ranką.

— Malonu susipažinti, — tarė ji ir atsisuko į brolį. — Kaip sakiau, nugirdau Foksą kalbant su tuo kitu vyruku terasoje. Auksas tikrai laive, galvutės taip pat. Labiausiai neramu dėl to, kad jie ketina panaudoti laivą kaip platformą, o taikinys turėtų būti Tel Avivas.

— Nebus, jei mes susprogdinsime tą daiktą vandenyje.

— Pats nebūčiau geriau pasakęs, — tarė Dilanas.

— Ir geriau kuo greičiau, — įsikišo Bleikas. — Laivas jau čia. Foksas norės iškrauti jį kiek galima skubiau. Roperis sakė, kad jis ketina išskristi dešimtą valandą ryto.

— Gerai, tada pradedam. — Kohenas pažiūrėjo į Dilaną. — Kaip veiksime?

— Ar pameni devyniasdešimt ketvirtuosius Beirute, kai išsprogdinome laivą su jame buvusiu plutoniu?

— Nori pasakyti, tu išsprogdinai, — pataisė jį Ania.

— Ir kaip tu tai padarei? — pasiteiravo Bleikas.

— Panėriau, priplaukiau prie inkaro grandinės, sukėliau nedidelį sąmyšį, įmečiau į variklių skyrių bloką semteksų — ir viskas.

— Skamba neblogai, — tarė Kohenas.

— Vieno aktoriaus spektaklis? — nepritariamai papurtė galvą Bleikas. — Man tai nepatinka.

— Bleikai, Vietnamo karas jau seniai baigėsi.

— Netaukšk nesąmonių, Šonai. Mes eisime kartu.

Dilanas atsiduso.

— Gerai, tai tavo laidotuvės. — Horizonte blykstelėjo oranžinė švieselė, o tolumoje įsižiebė apsauginės “Fortūnos” lempos. — Pradedam, — tarė Dilanas. — Laikas gelbėti pasaulį.

Falkonė, Ruso ir Foksas vandens taksi nuplaukė iki “Fortūnos” ir sustojo prie plieninių laiptų. Foksas liepė taksistui palaukti, o pats nusivedė bendrininkus į kajutę, kur jų laukė Brendanas Merfis, Dermotas Kelis ir kapitonas Savaras. Foksas ir Brendanas apsikabino.

— Gerai atrodai, — pagyrė Merfis.

— O tavo, drauguži, šypsena dar platesnė, kai žinai, kas mūsų laukia krante ir pakeliui į mano lėktuvą.

— Eikš ir pažiūrėk.

Merfis nusivedė jį į saloną laivo pasturgalyje, kur gulėjo dvi dėžės.

— Penki milijonai, Džekai, — tarė jis. — Jaučiuosi taip, tarsi būčiau Dievo numylėtinis.

— Tai todėl, kad tu airis, šikniau, — neslėpė džiūgavimo

Foksas. — Eikim išgerti, tada iškrausime šį krovinį. Manęs laukia vandens taksi.

Šalia "Pamyro" laukė pripučiama valtis. Dilanas ir Bleikas jau stovėjo su juodais nardytojų kostiumais, apsijuosę svorio diržais. Abu turėjo po atskirą oro balioną, nardymo krepšį ir brauningus su vidaus duslintuvais. Dilanas dar turėjo tris komplektus semteksų, užtaisytų trijų minučių taimerių pieštukais.

Gideonas Kohenas atsisuko į seserį ir Levį.

— Aš juos nuplukdysiu. Laukite čia ir būkite pasiruošę išplaukti.

Ania padvejojo, tada pasičiupo Uzi kulkosvaidį ir žengė prie Dilano ir Bleiko.

— Tik ne šį kartą. Tau gali prireikti pastiprinimo, o Mošė valdo laivą geriau už mane.

Kohenas atsiduso.

— Tu man gyva bėda. Gerai, pasiimk naktinius žiūronus ir stebėk, kas dėsis.

Jie nusiyrė į uostą ir sustojo per šimtą metrų nuo "Fortūnos".

— Pirmyn, — šnipštelėjo Dilanas ir užsitraukęs naro kaukę panėrė.

Laivas skendėjo blankioje šviesoje, nušviesdamas vandenį aplink save. Dilanas sustingo šalia metalinių laiptų, nusiplėšė švarką ir oro balioną, tada išsitraukė iš krepšio brauningą ir užtaisė. Bleikas išniro šalia. Tą minutę laiptų viršuje pasirodė arabas. Dilanas tučtuojau iššovė, ir kūnas nusirito į vandenį. Dilanas puolė laiptais į viršų. Tuo tarpu Bleikui iškilo kita problema.

Arabas, vairavęs vandens taksi, apstulbęs pamatė, kaip Dilanas išniro iš vandens ir nušovė jūreivį. Jis nusviedė į vandenį cigaretę, atsistojo, ir Bleikui neliko nieko kito, kaip jį nušauti.

Denyje kurį laiką buvo ramu, tada pasigirdo balsai. Ant tiltelio pasirodė kapitonas Savaras, laikydamas rankose automatą.

— Selimai, ar tu ten? Kas yra?

Dilanas atsiliepė arabiškai.

— Čia Mosadas, šunie. Atėjome tavęs.

Savaras ėmė aklai šaudyti į tamsų denį, ir Bleikas, užsiropštęs šalia Dilano, atsakė tuo pačiu. Pažiro langų stiklai. Foksas, Falkonė ir Ruso, stovėję ant tiltelio, krito ant žemės.

— Kas čia darosi, velniai rautų? — suriko Foksas.

— Izraeliečiai. Kažkas ten paminėjo Mosadą.

— Pridenk mane, — tarė Dilanas Bleikui ir pritūpęs nubėgo į variklių skyrių. Jis skubiai atplėšė liuką, išėmė iš krepšio du blokus semteksų, nustatė taimerį ir sumetęs juos į angą uždarė liuką.

Kol Dilanas bėgo pas atsišaudantį Bleiką, Savaras padarė vieną klaidą. Jis įjungė dar daugiau šviesų. Dilanas su Bleiku pritūpė už gelbėjimosi valties. Iš laivo apačios pasipylė ginkluoti įgulos nariai.

Savaras nesiliovė šaudęs, prie jo prisidėjo Falkonė ir Ruso, todėl Ania, klūpodama pripučiamoje valtyje, perliejo denį ir tiltelį kulkų serija iš kulkosvaidžio. Viena kulka pataikė Savarui į galvą, ir šis nugriuvo. Foksas su savo parankiniais susigūžė. Falkonės veidas buvo kruvinas.

— Dabar dingstam, Bleikai, — paragino Dilanas. — Mes turime tik tris minutes. Šliaužk dešiniau. Ten yra dar viena valtis, ji mus pridengs.

Ania pažiūrėjo pro žiūronus.

— Matau juos. Jie šliaužia dešiniojo borto link, — tarė ji Mošei Leviui.

— Tikriausiai Dilanas jau padėjo semteksus. Jiems liko ne daugiau kaip dvi minutės.

— Tai judėk.

Mošė įjungė didžiausią pavarą ir prašvilpė pro laivo nosį. Ania nesiliaudama kaleno į šoninį denį ir tiltelį, ir Dilanas su Bleiku tuo pasinaudojo. Foksas spėjo pamatyti juos iššokančius ir čia pat pričiuožiančią valtį. Ania išmetė jiems virvę, Dilanas su Bleiku įsikibo į ją, ir valtis dingo tamsoje.

— Jie iššoko iš laivo, sinjore, — tarė Falkonė. — Neilgai pabuvo.

Ilgi rizikingo gyvenimo metai buvo ganėtinai išlavinę Fokso pojūčius. Jis tučtuojau padarė išvadą.

— Tai todėl, kad jie jau padarė tai, ko atėjo. Nešdinkimės iš čia!

Jis nuskuodė laipteliais žemyn, Falkonė ir Ruso neatsiliko nė per žingsnį. Šoniniame denyje jie atsimušė į Merfį ir Kelį.

— Kas čia, velniai rautų, darosi? — nustebęs šūktelėjo Merfis.

— Mosadas. Jie paliko laive sprogmenų. Dingstam!

— Jėzau.

Jie nuskubėjo metaliniais laipteliais ir sugriuvo į vandens taksi. Foksas užvedė variklį, Falkonė su Ruso išmetė negyvą arabą į vandenį, ir jie nušvilpė vandens paviršiumi.

Jie buvo už kokio šimto metrų, kai laivas sprogo. Denis išlėkė į orą, tiltelis įgriuvo, į dangų šovė liepsnos. Du ar trys arabai spėjo nušokti nuo laivagalio, ir laivas, lūžęs pusiau, labai greitai pradingo po vandeniu. Vandens paviršiumi atskrido silpni riksmai ir degėsių kvapas.

— Ar grįšime, sinjore? — paklausė Falkonė.

— O ko? Aš noriu kuo skubiau patekti į oro uostą ir išsinešdinti iš šios suknistos vietos. Perimk vairą.

Foksas prisidegė cigaretę, Falkonė pasuko taksi prieplaukos link.

— Viskas prapuolė — ne tik raketos, bet ir auksas, — sudejavo Merfis.

— Žinau. Gyvenimas tikras pragaras. — Foksą ištiko beprotiško juoko priepuolis.

— Bet kaip jie sužinojo?

— Čia Vidurio Rytai, Brendanai. Izraeliečiai turi pakankamai patirties, kaip apsunkinti arabams gyvenimą. Manai, kad jie negali sužinoti, ką sumanęs Sadamas? Juk tiek draugų — nuo Londono iki Vašingtono. — Jis sviedė nuorūką į vandenį. — Be to, tie niekšai moka kovoti.

— Tiek aukso. Negaliu tuo patikėti.

— Geriau susitaikyk su tuo.

— Tai atgal į Hetrou?

— Nėra prasmės čia likti. Ar jūs su Keliu skrisite?

— Ne, mes skrendame į Paryžių, o tada į Dubliną.

Taksi įsirėžė į prieplauką. Fokso laukė limuzinas su vairuotoju arabu.

— Aš važiuoju į "Golden pelis", susidedu daiktus ir varau. Tai gal bent iki viešbučio pavėžėti?

— Ne, mes pasiimsime taksi ir važiuosime tiesiai į oro uostą.

— Jūs neturite jokio bagažo — viskas liko laive. Galite keistai atrodyti.

— Aš pažįstu šias vietas. Netoliese yra naktinis turgus. Ką nors nusipirksime. Jokių problemų.

— Gerai.

Išlipę į prieplauką, jiedu paėjėjo į šalį.

— Jėzau, man taip reikėjo to aukso, — atsiduso Merfis.

— Man irgi, — pritarė Foksas.

— Tai ką darysi?

— Turiu kai ką numatęs Londone, kas turėtų pagerinti reikalus.

— O, gal tau reikia pagalbos?

— Ne šį kartą. O tu?

— Grįšiu į Kilbegą pamąstyti. Aš dar nebankrutavęs.

— Tu vis dar skolingas man daug ką iš to bunkerio. Žinau, kad jame turi mažiausiai milijoną.

— Žinau, žinau. Keletas bankų apiplėšimų, ir išlaidos pasidengs, be to, ir karas netrukus prasidės.

Foksas ištiesė ranką.

— Sėkmės. Palaikyk ryšį.

— Būtinai.

Jie sugrįžo prie limuzino. Foksas, Falkonė ir Ruso įlipo, ir jis pajudėjo.

Merfis įkvėpė šilto, prieskonių kvapų prisisunkusio oro.

— Šlykšti vieta, Dermotai. Grįžkime namo, į civilizaciją.

Bleikas buvo sužeistas į dešinįjį petį. Ania suteikė jam pirmąją pagalbą. “Pamyre” vyravo džiugi nuotaika.

Dilanas su Bleiku persirengė ir atėjo į saloną. Mošė Levis pilstė į taures vyną, iš dušo, susisupusi į rankšluostį, atėjo Ania.

— Kur Gideonas? — paklausė Dilanas.

— Kalba telefonu.

Gideonas kalbėjosi su savo dėde Tel Avive. Generolas Kohenas išklausė ir pliaukštelėjo sau per šlaunį.

— Nuostabu. Tai bent ėjimas.

— Dilanas ir Bleikas Džonsonas netrukus grįžta į Londoną.

— Perduok jiems mano geriausius linkėjimus. O kaip Ania?

— Ji turėtų gauti medalį. Ania nepakartojama.

— Mosadas medalių nedalija, tu tai žinai. Bet aš pavaišinsiu jus visus puikia vakariene.

Beirute Foksas, Falkonė ir Ruso įsėdo į savo lėktuvą, kurį atidžiai stebėjo Leisis ir Peris, aprūpinti trijulės nuotraukomis. Lėktuvas ramiai pakilo į penkiasdešimties tūkstančių pėdų aukštį ir pasuko Viduržemio jūros link. Ruso sėdėjo gale. Stiuardesė pasiūlė visiems gėrimų ir valgiaraštį. Foksas mostelėjo jai pasišalinti.

Falkonė sėdėjo priešais jį.

— Ką dabar darysime, sinjore?

— Nežinau, Aldo. Aš ką tik praradau visą lobį. Merfis irgi velniškai daug neteko, o jis dar skolingas man Dievas žino kiek už tuos ginklus bunkeryje. Koliziejus uždarytas. — Jis giliai atsiduso. — Dabar liko tik broliai Džago ir tas reikalas su Baltojo deimanto kompanija. Dešimt milijonų. Keturi jiems, šeši man.

Palydovė atnešė Falkonei degtinės ir martinio kokteilį. Jis paragavo ir tarė:

— O kodėl ne visi dešimt, sinjore? Kodėl mums patiems to nepadarius? Mudu su Ruso susidorotume. Dar ilgai teks laukti, kol atsipirks, ką tik ką praradote.

Foksas gurkštelėjo šampano.

— Tu tikrai labai nedoras, Aldo. Man tai patinka.

Falkonė šyptelėjo, prisiminęs savo pokalbį su Donu Marko mobiliuoju telefonu iš tualeto. Jis papasakojo Donui visą apgailėtiną istoriją.

Donas Marko pasakė:

— Bus dar blogiau. Jei nežinočiau tiesos, pasakyčiau, kad tai vėl Dilano ir Džonsono darbas. Bet tu sakai, kad tai buvo izraeliečiai?

— Nėra jokios abejonės. Jie prisistatė.

— Jį tarsi gyvatė kandžiotų. Gerai, Aldo, prižiūrėk jį, a?

Prisimindamas tai, Falkonė tarė:

— Džago. Jie gyvuliai, sinjore. Kaip sakiau, leiskite man su Ruso pasirūpinti jais.

— Tai tikrai įdomi mintis, — šyptelėjo Foksas. — Pažiūrėsim.

Londone Fergiusonas išklausė Dilano pasakojimą ir linktelėjo.

— Nepriekaištingai atlikta. Mūsų draugai iš Mosado puikiai pasidarbavo, bet ir judu su Bleiku šaunuoliai.

— Pagyrimas iš jūsų lūpų, brigadininke, tikras medus.

— Neįsijausk, Dilanai. Greitai pasimatysime.

Fergiusonas kurį laiką sėdėjo mąstydamas, tada išsikvietė limuziną, užsivilko paltą ir liepė vairuotojui nuvežti jį į Pain Grouvą, kur Hana Bernštain dirbo su Šonu Riganu. Jį pasitiko Helena Blek ir nuvedė į Roperio kabinetą. Majoras sėdėjo prie vieno iš kompiuterių, Riganas šalia jo, Hana iš kito šono.

— Ką gi, vaikai, galiu nudžiuginti, kad Al Šarize ką tik įvyko sprogimas. "Fortūnos" su visa arabų įgula nebėra. Ne tik raketos, bet ir penki milijonai aukso, kuriuos turėjo pasidalyti Merfis ir Foksas, nugrimzdo į dugną — ačiū Čekoslovakijai už dovaną pasauliui — semteksus.

— Jėzau Marija, — pabalo Riganas.

— Minutėlę, brigadininke. — Roperis pabarškino į klavišus ir pažiūrėjo į ekraną. — Taip, į dviejų šimtų jūros sieksnių gylį. Tame uoste yra įduba. Bet vis tiek būtų labai sunku ištraukti.

— Kas toliau, sere? — pasiteiravo Hana. — Kilbegas?

— Ar toli pasistūmėjote?

— O, Šonas mums labai padėjo. Dabar turiu grandiozinį planą, — atsiliepė Roperis. — Gal norėtumėt pamatyti?

— Ne, palaukime Dilano ir Bleiko. — Jis atsisuko į Haną. — Ar yra žinių iš Solterio?

— Ne, sere.

— Ko gero, reikia jį aplankyti.

— Ar norite, kad eičiau kartu, sere?

Fergiusonas papurtė galvą.

— Ne, tęskite darbą su Riganu ir majoru. — Jis pažiūrėjo į Heleną. — Kaip jums patiktų ekskursija į Londono nusikaltėlių pasaulį, majore seržante?

— Nieko kito labiau nenorėčiau, brigadininke.

— Gerai, tada pirmyn, — tarė Fergiusonas ir pirmasis pasuko durų link.

LONDONAS

10

Solteris ir Bilis sukiojosi vienoje iš žymiausių Londono užeigų "Aklasis elgeta", kur rinkdavosi visas gangsterių elitas: broliai Krėjai, Ričardsonai ir kiti. Šiuo vakaro metu čia buvo jau ankšta, nors didelę dalį lankytojų sudarė turistai — organizuotos kelionės į šią užeigą — dar viena spektaklio dalis.

Solteris pamojo liesam vyrukui, albinosui juodais marškinėliais ir kostiumu.

— Jis vienas iš geriausių spynų ir seifų specialistų, Bili. Mančesteris Čarlis Fordas. O tas stambus juodukas šalia jo — Amberis Freizeris. Auksinių rankų meistras, nors, beje, turi ir smegenų. Jie artimi draugai.

— Ką tu turi omeny — artimi draugai? — paklausė Bilis.

— Na, žinai, gėjai. Homoseksualai.

Bilis papurtė galvą.

— Galiu pasakyti tik tiek, kad jie atsisako velniškai gero dalyko.

— Visokių būna, Bili. Paklausinėkim jį.

Jis gestais pakvietė, ir Fordas priėjo. Freizeris neatsiliko nė per žingsnį.

— Čarli, sūnau, ir Amberi. — Solteris paspaudė jiems rankas. — Čia mano sūnėnas Bilis. Saugokitės. Jis tikras chuliganas.

— Kaip ir mes visi, ar ne? — tarė Fordas.

— Prisėskit, išgersim. Galbūt pasiūlysiu jums kokį darbelį.

Jis jau žinojo, kad Fordas ir jo dradugužis užimti, bet norėjo patikrinti vandenis.

— Ką siūlai, Hari? — paklausė Fordas.

— Organizuoju kai ką stambaus. Nesakysiu ką, bet man

reikalingi geriausi žmonės, o tu, Čarli — pripažinkim tiesą, — esi geriausias.

— Apie kokį laiką mes kalbame?

— Ateinančias dvi savaites.

— Neišdegs, Hari. Supranti, kitą mėnesį galėčiau padėti, bet šiuo metu jau esu užimtas.

— Tau pasisekė. Tikiuosi, reikaliukas geras?

— Labai geras, Hari, labai ypatingas.

— Daugiau gali nesakyti. Jei ko nežinau, apie tai ir nekalbu. — Jis toliau klausinėjo apsimestinai abejingai. — O kaip Filas Safiro?

— Įkliuvo praeitą savaitę. Sėdi Vest Endo centrinėje. Galėtum šnektelėti su Hju Belovu. Žinai, jis sakosi tuo nebeužsiimąs, bet mane jis daug ko išmokė. Priklauso nuo to, ką siūlai.

— Ačiū už mintį, — atsakė Solteris.

Tą minutę į restoraną įėjo broliai Džago ir atsistojo baro gale. Fordas pašoko.

— Turiu eiti, sūnau. Pasimatysime.

— Pasirūpink savim, — atsisveikino Solteris.

Fordas ir Freizeris nuėjo prie brolių Džago.

— Atrodo, viskas aišku, — tarė Bilis.

— Aha. Bet mums reikia tiksliai sužinoti, ką jie suplanavę.

— Ir kaip mes tai padarysime?

— Senu ir įprastu būdu. Paseksime juos. Eime.

Baksteris ir Holas laukė jų reindžroveryje. Solteris tarė jiems:

— Nelaukite manęs, aš pasigausiu taksi. Bilis tegu lieka su jumis. Džago viduje, su Mančesteriu Čarliu Fordu. Kai jie išeis, pasekite. Džo, pirštinių skyrelyje yra tie rusiški naktiniai žiūronai.

— Žinau, Hari.

— Sėkmės, — palinkėjo jiems Solteris ir nuėjo.

Po pusvalandžio pasirodė broliai Džago, Fordas ir Freizeris. Jie paėjėjo gatve, įsėdo į jų laukusį Fordo autobusiuką ir nuvažiavo. Bilio nuostabai, jie pasuko namų kryptimi, Vopingo link. Vėlyvas vakaro judėjimas buvo dar gana didelis, ir Baksteris važiavo gerokai atsilikęs. Pagaliau autobusiukas įsuko į siaurą gatvelę tarp neseniai suremontuotų sandėlių.

— Sent Ričardso dokas, — tarė Baksteris. — Praeitais metais jie pertvarkė tuos senus sandėlius į ofisus.

— Ar kas nors čia gyvena? — paklausė Bilis.

— Ne.

— Tai ką, velniai griebtų, jie sumanę? Sustok gatvės gale ir paduok man tuos žiūronus.

Baksteris sustojo sienos šešėliuose, ir jie išlipo. Bilis nustatė žiūronus ir spėjo pamatyti, kaip broliai Džago ir tie kiti du nusileido akmeniniais laipteliais į gargždėtą paplūdimį prie upės. Jie ėmė žingsniuoti paupiu, o Bilis stebėjo juos.

— Atoslūgis, — tarė Holas. — Kitaip jiems tektų plaukti.

— Jie dingo, — pranešė Bilis. — Palaukime.

Po dešimties minučių kompanija sugrįžo, įlipo į autobusiuką ir nuvažiavo.

— Gerai, — tyliai sumurmėjo Bilis. — Džo, paimk iš roverio prožektorių, eisime pasidairyti.

Jis gana lengvai rado tai, ko ieškojo: senovinėje akmeninėje sienoje žiojėjo arkinis įėjimas į tunelį, apaugęs drėgnomis, slidžiomis samanomis. Aplinkui tvyrojo upės drėgmės kvapas. Bilis įėjo į tunelį, skrosdamas tamsą prožektoriaus šviesa, ir netrukus priėjo didžiulius aprūdijusius grotuotus vartus. Ant jų kabojo labai aprūdijusi spyna.

— Ko jie čia ieškojo? — nusistebėjo Baksteris.

— Dievas žino, bet ir mes sužinosime. Važiuojame pas Harį, — ir Bilis apsisukęs išskubėjo iš tunelio.

Haris Solteris sėdėjo baro gale prie savo asmeninio staliuko ir gurkšnodamas alų klausėsi.

— Sent Ričardso dokas. Aš kažką apie jį turiu, Bili. — Jis šūktelėjo Dorai, ir ji išlindo iš už baro. Solteris apkabino ją per liemenį. — Surask mano kabinete bylą apie Sent Ričardso doką, mieloji.

— Dėl tavęs viską padaryčiau, Hari.

— Taip, žinau, bet dabar atnešk tik tą suknistą bylą.

Ji grįžo po kelių minučių. Haris atsivertė bylą ir išsiėmė planą.

— Du prekybos bankai, nekilnojamojo turto agentūra, nuosavybės firmos, du restoranai, Baltojo deimanto kompanija. — Jis atsilošė. — Jėzau Kristau, ne, negali būti. Tokią vietą šiais laikais? Ten juk moderniausia apsauga. Neįmanoma. Negaliu tuo patikėti.

Stebėdamasis pats savimi, Bilis ėmė jį raminti.

— Neskubėk, Hari. Pagalvokim, ką dar jie galėjo veikti tame tunelyje.

— Tu teisus, Bili, tu mokaisi. — Solteris atsisuko į Holą. — Pasižvalgyk salėje. Gal pamatysi tą seną išvėpėlį Hendį Gryną. Paprastai jis čia būna. Buvęs baržos kapitonas. Nėra nieko, ko jis nežinotų apie upę — bent jau daugiau už mane, o tai jau šį tą sako.

Holas išėjo ir netrukus sugrįžo su nukaršusiu ir susiraukšlėjusiu seniu, skęstančiu jūreiviškame apsiauste ir džinsuose.

— Hendi, seni, — pasisveikino su juo Solteris. — Eikš, išgersim. Pamaniau, gal galėsi padėti man.

— Padėsiu kuo galėsiu, Hari, tu juk žinai.

— Turiu čia tokią bėdą, Hendi. Žinai Sent Ričardso doką?

— Aišku, kad žinau, Hari.

— Jie ten pertvarkė tuos senus sandėlius, prikūrė visokiausių ofisų.

— Taip, man atrodo, kad pernai darbai baigėsi. Aš iš jo plukdydavau baržas, kai buvau vaikas.

— Žinai, kas įdomu, — tarė Haris. — Bilis atsitiktinai vaikščiojo paplūdimiu ir pastebėjo įėjimą į tunelį.

— Taip, galėjo, jei tik atoslūgio metas. Kai vanduo pakyla, įėjimo nesimato. Tą tunelį vadina Sent Ričardso galia.

— Ką, po galais, tai galėtų reikšti? — Dora atnešė didelį stiklą brendžio, kurį Haris perdavė seniui.

— A, tai dar nuo viduramžių. Galia reiškia spaudimą, nes kai ateidavo potvynio banga, vanduo su neįtikėtina galia imdavo plūsti į tunelį. — Hendis godžiai išmaukė brendį. — Matai, Hari, aš labai domiuosi Londono požemiais. Yra tunelių dar nuo romėnų, normanų laikų. Tiudorų kanalizacijos griovių, Viktorijos laikų tunelių. Visi tie šiuolaikiniai daugiaaukščiai ir ofisų dangoraižiai net neįtaria, kiek po jų pamatais tunelių ir kanalizacijos griovių.

— O tu žinai?

— Tai visuomet buvo mano didžiausias pomėgis.

— O tuos, po Sent Ričardso doku?

— Ten tikras labirintas, be galo daug angų.

— Ar tu tuo tikras?

— Hari, aš turiu visas senas Viktorijos laikų knygas su žemėlapiais.

— Ką tu sakai? — Solteris atsisuko į Bilį. — Padaryk man paslaugą, Bili, pasivaikščiok su Hendžiu iki jo namų ir paimk tas knygas. Aš paskambinsiu Fergiusonui ir pasakysiu, ką turime. — Jis nedelsdamas taip padarė. Fergiusonas, sulaukęs žinutės, apsisuko ir grįžo į Pain Grouvą.

Po valandos Hendis Grynas jau sėdėjo Pain Grouve ir rodė Roperiui labai įdomius planus labai senose knygose. Roperis patikrino informaciją ir ėmėsi darbo. Fergiusonas, Solteris ir Bilis stebėjo. Baksteris ir Holas nuėjo į valgyklą. Ekrane atgijo požemio planai.

— Neįtikėtina, — aiktelėjo Roperis.

— Kas tai? — paklausė Fergiusonas.

— Viktorijos tunelių tinklas bei kanalizacijos grioviai, įeinantys į Sent Ričardso doko infrastruktūrą. Čia yra tokių vietų, kur užtektų gero smūgio kūju, kad pramuštum sieną ir patektum į Sent Ričardso rūsius.

— Ką, po velnių, tu nori pasakyti? — piktai susiraukė Solteris.

— Palūkėkit, patikrinsiu Sent Ričardso specifikacijas, — atsiliepė Roperis. Jo pirštai vėl sukrutėjo. Pagaliau jis linktelėjo. — Įdomu. Pastate naujausia apsauga, tačiau tik išorinė. Jei prasiknistum kaip kurmis, nė šuo nesulotų.

— Būtent taip ir yra, — tarė Solteris.

— Atrodo, — pritarė Roperis. Jis atsisuko į Fergiusoną. — Brigadininke?

— Labai tikėtina, tik klausimas, kada jie ruošiasi tai padaryti. — Jis pažiūrėjo į Solterį ir jo sūnėną. — Ar padėsi mums? Dabar žinome vietą, tačiau reikia sužinoti laiką.

— Na, nemanau, kad tai įvyktų jau antradienį, jei suprantate, ką noriu pasakyti. Bent jau sprendžiant iš to, ką pasakė Mančesteris Čarlis Fordas. Jis minėjo dvi savaites.

— Gerai, pažiūrėk, ką pavyks sužinoti.
— Su malonumu, brigadininke. Nors kartą esu toje pusėje, kur reikia. Eime, Bili, parvešime Hendį namo. Žinai, mums teks užmesti akį į paplūdimį.
Jie išėjo, ir Fergiusonas tarė:
— Ar turi ką nors apie Laufo grafystę, Roperi?
— Ištraukiau iš Rigano viską, ką galėjau. Pagal viską, tai turėtų būti Kilbege. Ar nori žvilgtelėti?
— Taip, parodyk.
Kai Roperis baigė, Fergiusonas susimąstė.
— Keblu.
— Labai.
— Bet vis tiek manau, kad tai reikėtų padaryti kuo greičiau, turint galvoj, kas atsitiko.
— Esu linkęs sutikti.
— Eime į valgyklą, užkąsime ir sulauksime Dilano ir Bleiko.
— Dar kai kas, brigadininke.
— Klok.
— Esu senas airis ir galiu drąsiai teigti, kad į tą pakrantės vietovę taip paprastai nepateksi, net ir apsimetus turistu.
— Taip, suprantu. Siūlai priėjimą iš jūros?
— Tai vienintelis kelias.
— Parodyk man Dauno ir Laufo grafystes bei škotų pakrantę.
Roperis paklusniai pabaksnojo klavišus.
— Prašom.
— Ką pasakytum apie Obaną — štai čia, vakarinėje pakrantėje? Ar tai būtų tinkamas išvykimo taškas?
— Net labai tinkamas, brigadininke.
— Puiku. — Fergiusonas išsiėmė mobilųjį telefoną ir paskambino Hanai Bernštain į nuovadą. — Dilano dar nėra?
— Ką tik nusileido Farlėjaus lauke, sere.
— Gerai. Pasakyk jam, kad tučtuojau važiuotų čionai. Bleikas irgi. Reikalai pajudėjo, inspektore. Ruošiame airišką ekspediciją. Pasikalbėk su transporto skyriumi. Mums reikėtų motorlaivio ar ko nors panašaus.
— Supratau, sere. Išvykimo taškas?

— Obanas. Jei Dilanui reikės įrangos, tai jis atvažiavęs pasakys. Atvažiuok ir tu. Man labai gaila, bet tau tikriausiai vėl teks rizikuoti.

— Už tai man ir mokama, sere.

Dilanas ir Bleikas rijo kiaušinienę su kumpiu ir klausėsi Fergiusono su Roperiu.

— Mano nuomone, Dilanui ir majorei seržantei Blek reikėtų dar kartą pasikalbėti su Riganu — tiesiog tam, kad įsitikintų jo nuoširdumu, — tarė Hana.

— Protinga mintis, — pritarė Fergiusonas. — Taip ir padarykim.

Tačiau iš pradžių visi nuėjo į Roperio kambarį, ir jis parodė jiems situaciją Kilbege.

— Tai labai nuošali vieta, tame pakrantės kaimelyje vos šimtas gyventojų. Daugiausiai pavieniai ūkiai. Užkietėję katalikai respublikonai. Nė žingsnio nežengtum nepastebėtas.

— Taigi reikia išsilaipinti iš jūros, — tęsė Fergiusonas.

Dilanas linktelėjo.

— Teisingai. Eisime prisidengę tamsa. Nersime, jei bus būtina.

— Transportą jau turime. “Kalnietis” lauks Obane, — tarė Hana. — Bet jie prašė kuo greičiau pranešti, kokios įrangos reikės.

— Jokių problemų. Aš sudarysiu sąrašą. Plauksi kartu, Bleikai?

— Nė už ką nepasiliksiu.

— Inspektorė irgi vyks kartu, — pasakė Fergiusonas. — Noriu, kad dalyvautų oficiali policijos pareigūnė.

Dilanas atsiduso.

— Hana, negi nori netekti galvos? Kas tai, kaltės jausmas?

— Užsikimšk, Dilanai.

— Labai gražūs žodžiai iš tokios dailios žydaitės, studijavusios Kembridžo universitete, lūpų.

Nesusilaikiusi ji nusijuokė.

— Kas toliau?

— Dar kartą pažiūrėkime į žemėlapį.

Roperis paaiškino padėtį.

— Štai čia senas vienuolynas, įėjimas į bunkerį ir jų priedanga, bet įdomiausia yra toji ferma — štai ši, į rytus. Tai atsarginis išėjimas. Riganas sako, kad bunkeryje paprastai būna tik pora prižiūrėtojų. Merfis irgi kartais užsuka. Jis vietinis herojus.

— Puiku, — tarė Bleikas. — Įeisime ir išsprogdinsime jį velniop.

Fergiusonas linktelėjo.

— Apklauskime Riganą dar kartą. Tu, majorė seržantė Blek ir Dilanas. Surenkime tokį patį spektaklį — jei kartais jis pamiršo ką nors pasakyti.

Kai seržantas Mileris įvedė Riganą, Dilanas sėdėjo prie židinio.

— A, Šonai. Man sakė, kad tu labai padėjai.

— Padariau viską, ko manęs prašė.

Kitoje veidrodžio pusėje juos stebėjo Fergiusonas, Bleikas, Hana ir Roperis. Staiga Roperis tarė:

— Jis meluoja, tas niekšas meluoja.

— Iš kur tu žinai?

— Jo kūno kalba, mano instinktai. Nežinau, bet jis kažko mums nepasakė.

— Ką gi, majore seržante, — kreipėsi Fergiusonas į Blek. — Jūsų eilė.

Po minutėlės ji įgriuvo pro duris, virdama iš pykčio.

— Man jau nusibodo tas melas, Dilanai. Tas niekšelis meluoja ir nė nemirksi. Jis dar ne viską mums pasakė.

Ji išsitraukė koltą su duslintuvu, o Mileris, vaidindamas savo vaidmenį, sučiupo jai už riešo.

— Ponia, šitaip negalima.

Koltas iššovė į lubas, ir Riganas išsigandęs sušuko.

— Gerai jau, gerai — pasakysiu viską, ko tik norite.

Dilanas stumtelėjo jį į kėdę.

— Gerai, mes turime Kilbegą, bunkerį, kaimą, netgi žinome apie seną granitinį pirsą uolos apačioje. Bet ko tu mums nepasakei?

Riganas dvejojo, ir Helena Blek vėl įsiuto.

— Veltui švaistome laiką. Išsiųskime jį atgal į Vondsvortą.

— Ne, dėl Dievo meilės.
— Tu kažką nutyli. Ką?! — piktai užriko Dilanas.
— Pinigai. Brendanas turi seifą bunkeryje. Sako, kad jame yra milijonas svarų — jo dalis nuo bankų apiplėšimų ir visų kitų žygių.
— Na ir? — rūsčiai paragino Helena.
— Jis skolingas juos Foksui už ginklus.
— Nejaugi, — šyptelėjo Dilanas.
— Tik jis meluoja. Mulkina Foksą. Tame seife beveik trys milijonai.
Dilanas nusikvatojo.
— Ar nori pasakyti, kad kai išnešime į orą tą vietą, pribaigsime ne tik Merfį, bet ir Foksą? Nuostabu. — Jis atsigręžė į veidrodį. — Argi ne smagu, brigadininke? Prisijunkite prie mūsų.
Fergiusonas atėjo su Hana ir Bleiku.
— Mėgini mus apmauti, Riganai? Žaidi savo kvailus žaidimus?
— Taip, jis nepatikimas niekšelis, — tarė Dilanas. — Tokiomis aplinkybėmis, aš manau, būtų ne pro šalį pasiimti jį kartu.
— Tikrai?
— Dėl visa ko. Kas, jei jis dar ne viską mums pasakė?
Fergiusonas linktelėjo.
— Taip, suprantu, ką nori pasakyti. Sutinkate, inspektore?
— Jai teks sutikti, nes būtent ji pasirūpins tuo niekšeliu.
— Kur tu suki? — paklausė Hana.
— Nėra prasmės gaišti laiką. Jei paprašysi ūkio dalies viršininką išpildyti mano prašymą ir paruoši laivą, mudu su Bleiku išskristume dar šią popietę. Netoli Obano yra Oro pajėgų oro uostas. Mes susikrautume į laivą įrangą. O lėktuvas sugrįžtų, paimtų tave ir rytoj ryte parskraidintų atgal. Po pietų jau galėtume išplaukti ir naktį išsilaipinti Kilbege.
— Tu veltui nešvaistai laiko, ar ne? — pakraipė galvą Fergiusonas.
— Nematau prasmės, brigadininke.
— Aš sutinku.
— Tik yra viena problema, — tarė Dilanas. — Al Šarize Bleiką pašovė.

— Nesąmonė, tai tik įbrėžimas, — pasipiktino Bleikas. — Ania sutvarkė žaizdą.

— Bleikai, jei mums teks nerti, tada tai ne nesąmonės.

— Vadinasi, tau reikia kito naro? — suprato Fergiusonas. — Laiko labai mažai, bet aš paskambinsiu į Laivyno štabą ir pasiteirausiu, ar nesurastų mums žmogaus iš Specialiosios eskadros.

— Netinka. Tie vyrukai trumpai kerpasi; jų niekas nepriims už vietinius. O štai Specialiosios oro pajėgos Hereforde turi daugybę vaikinų, kurie mėnesių mėnesiais nematę kirpėjo. Juos Belfaste iš karto palaikytų savais bičais iš kokių nors statybų, — nusijuokė Dilanas.

— Tai gera mintis, — tarė Bleikas. — Kai anais metais ten vykdžiau slaptą užduotį, buvo velniškai rizikinga.

— Aš turiu kai ką numatęs, — tarė Dilanas.

— Ką? — pasiteiravo Fergiusonas

Dilanas jam pasakė.

Brigadininkas bejėgiškai susijuokė.

— Man tai patinka. Net labai. Ar galėčiau eiti kartu su tavimi ir pasiklausyti, kaip jis tau atsakys?

— Prašom, brigadininke, bent jau paragausite geriausio ėdalo Londone. O tuo tarpu vis dėlto norėčiau, kad Dezas patikrintų Rouzdene Bleiko petį.

— Rouzdene? — perklausė Bleikas.

— Tai privati klinika netoli Pain Grouvo. Mes turime ten labai puikų žmogų, chirurgijos profesorių iš Londono universiteto, kuris, kaip jau minėjau, mums padeda.

— Norėtum nuplaukti į Airiją, a? — atsisuko Fergiusonas į Riganą.

— Juk neturiu pasirinkimo, ar ne? — Bet jo mintys jau sukosi visu greičiu.

— Išveskite jį, — paliepė Fergiusonas Helenai Blek ir Mileriui. — Inspektorė rytoj jį pasiims.

— Taip, sere. — Mileris paėmė Riganą už parankės, ir Helena išsekė paskui juos.

— Gerai, Dilanai, nuvežk Bleiką į Rouzdeną, — tarė Fergiusonas. — Inspektorė paskambins ir pasiteiraus, ar profesorius ten. Tada mes grįšime į nuovadą. Pasimatysime per pietus. — Jis nusijuokė. — Nekantrauju pamatyti jo reakciją. Tikiuosi, jis patriotas.

— Tokie žmonės kaip jis paprastai būna patriotai, brigadininke.

Rouzdenas buvo dailus pastatas su sava žeme. Administratorė pasveikino Dilaną it seną draugą, pasikalbėjo telefonu, ir netrukus iš jos kabineto išėjo malonios išvaizdos vidutinio amžiaus moteris, vilkinti medicinos seselės uniforma. Ji, kaip ir Dilanas, kalbėjo su airišku akcentu. Ji pabučiavo Dilanui į žandą.

— Ar vėl kariavai, Šonai?

— Ne, Marta, bet jis kariavo, — ir Dilanas pristatė Bleiką.

— Ką gi, tada einam. Ponas Dezas laukia.

— Ponas? — sutriko Bleikas.

— Anglijoje paprasti gydytojai vadinami "daktarais", bet chirurgai — "ponais". — Dilanas nusišypsojo. — Bet tai gali paaiškinti tik anglai. Šiuo atveju jis dar ir "profesorius".

Marta nuvedė juos koridoriais ir atidarė duris į moderniai įrengtą operacinę. Dezas, aukštas indas, sėdėjo prie stalo, sklaidydamas kažkokius dokumentus.

Jis šypsodamasis atsistojo ir ištiesė Dilanui ranką.

— Šonai, tai šį kartą ne tu? Kažkas keista.

— Ne, šį kartą tai mano draugas, Bleikas Džonsonas.

— Pone Džonsonai, malonu susipažinti. Kokios bėdos?

— Paviršinė šautinė žaizda. Nieko ypatinga.

— Taip nebūna, mano drauge. — Dezas atsisuko į seselę. — Šiomis aplinkybėmis, Marta, nenorėčiau, kad dalyvautų kuri nors iš merginų. Ar nesutiktum man padėti?

— Žinoma, profesoriau. Tuojau pasiruošiu.

— Tu, Šonai, gali pasilikti, jei nori, — pasakė Dezas.

Bleikas nusirengė iki pusės, o Dezas ir Marta pasiruošė darbui.

— O varge, jūs tikrai kariavote. — Dezas paspaudė po kairiuoju šonkauliu. — Randų nuo kulkų padarytų žaizdų su niekuo nesumaišysi.

— Dar vienas čia, — tarė Marta, — po kairiuoju petimi.

— Vietnamas, — atsakė Bleikas. — Šis gana senas.

— Bet šis atrodo šviežias, — pasakė Dezas, kai Marta

nuėmė tvarstį nuo dešiniojo peties. Jis susiraukė. — Negražiai atrodo.

— Ten tik įbrėžimas, — nekantravo Bleikas.

Dezas nekreipė į jį dėmesio.

— Taip, tą įbrėžimą reikia labai rūpestingai susiūti. Kaip manai, Marta, kiek reikės siūlių? Penkiolikos? Ne, tikriausiai dvidešimties. Taigi vietinė anestezija čia nepadės. Teks duoti bendrą. Pakvieskit daktarą Hamedą. Žinau, kad jis čia. Jis gali asistuoti.

— Ei, paklausykit, aš nenoriu gulėti, — ėmė protestuoti Bleikas. — Manęs laukia reikalai.

— Nebelauks, jei petys liks suluošintas.

— Darykite, kas jums sakoma, pone Džonsonai. Juk jūs nekvailas žmogus, — griežtai tarė Marta. Ji atsisuko į Dilaną. — Palik jį čia. Galėsi užsukti po pietų ir pažiūrėti.

— Dėl Dievo meilės, Šonai, — prasižiojo Bleikas.

— Jokių problemų. Jei šiandien nepajėgsi, galėsi atskristi į Obaną rytoj, su Hana ir Riganu.

Tuo metu Bilio Solterio reindžroveris privažiavo prie Sent Ričardso doko ir sustojo. Bilis išlipo ir nuėjo į krantinę, kur stovėjo senas fordas. Jame sėdėjo Džo Baksteris, pro senus žiūronus stebėdamas gargždųotą paupį. Pamatęs Bilį, jis nuleido žiūronus.

— Kaip reikalai? — paklausė Bilis.

— Na, iš neturėjimo ką veikti mes patikrinome tą kavinę, kur pusryčiauja Mančesteris Čarlis Fordas. Ir žinai, jis buvo ne tik su savo didžiuoju žvėrimi.

— Nagi, nustebink mane.

— Buvo dar ir Konis Brigsas.

— O, čia gerai. Jis tikriausiai geriausias elektroninių apsaugos sistemų žinovas Londone.

— Žinau, jis tikras genijus.

— Kas dar?

— Velas Frenčas.

— Jėzau. Didysis terminio pjaustymo ekspertas. Supjaustė tuos seifus su Getviko auksu it konservų dėžutes. Visi tai žino.

— Skotland Jardas irgi, bet negali įrodyti.

— Tai kodėl mes čia?

— Jie visi atvažiavo čionai su tojotos furgonu. Mes atsekėme iš paskos. Jie išlipo, nešdamiesi porą drobinių krepšių, ir nuėjo į paplūdimį. Iš ten pasuko į tunelį. Semas dabar ten, slepiasi už tų senų lūženų.

Bilis paėmė iš jo žiūronus ir nusitaikė. Kaip tik tą minutę iš tunelio išlindo Fordas su visa kompanija ir pasuko doko laiptų link.

Netrukus visi susėdo į tojotą ir nuvažiavo.

— Duok man prožektorių, eime pažiūrėti.

— Tegu jie nuvažiuoja, — tarė Bilis.

Tunelyje buvo drėgna nuo ką tik atslūgusios rytinės bangos, ir, kai Bilis įžiebė prožektorių, pasimatė pažaliavusios sienos. Aprūdijusios geležinės grotos atrodė kaip anksčiau. Nebebuvo tik didžiulės senos spynos, ir vartai pasidavė, stipriau užgulus.

— Nagi nagi, — sumurmėjo Bilis. — Pažiūrėkim.

Jie įžengė į tunelį, šlepsėdami per vandenį. Atrodė, kad jis niekada nesibaigs, be to, buvo daugybė šoninių tunelių.

— Gerai, — pagaliau tarė Bilis. — Pakaks. Mes jau po doku, ir čia nėra nieko svarbaus. Grįžkime atgal.

Vidurdienį jie atvažiavo į “Tamsos žmogų” ir surado Solterį prie jo įprasto staliuko. Jis išklausė Bilį ir linktelėjo.

— Taip, vadinasi lieka Baltojo deimanto kompanija. Pasikalbėsiu su Fergiusonu.

Tą minutę įėjo Fergiusonas su Dilanu.

— Neįtikėtina, — išsižiojo Bilis. — Mes ką tik kalbėjomės apie jus, ir jūs jau čia.

— Magija, Bili, — nusišaipė Dilanas. — Aš juk iš Dauno grafystės.

— Ko norėtumėt, brigadininke? — pasiteiravo Solteris.

— Pradžiai kaimiško apkepo ir kokio nors raudonojo vyno.

— O mes turime jums naujienų, — tarė Bilis ir išklojo, ką žinąs.

Fergiusonas išsiėmė telefoną ir paskambino Roperiui į Pain Grouvą. Perdavęs informaciją, tarė:

— Aš čia truputį užtruksiu, bet man ką tik šovė į galvą

mintis. Jei galėtum prisijungti prie Baltojo deimanto kompanijos, gal pavyktų ką nors sužinoti.

— Palik tai man, brigadininke.

Fergiusonas išjungė telefoną.

— Džentelmenai, atrodo, kad dirbsime kartu. Hari, skiriu tave Britanijos imperijos 4-ojo laipsnio ordino kavalierium už nuopelnus šaliai.

— Atsikniskit, brigadininke.

Atkrypavo Dora.

— Kaimiškas apkepas, mielieji, ir butelis to Krugo šampano, kad jau Dilanas čia.

Jai nuėjus, Dilanas išsišiepė.

— Tu didis žmogus, Hari.

— Tu ką, airiškas mulki, bandai man prisigerinti?

— Tiesą sakant, taip. Man reikia palaugos.

— Kokios paslaugos?

— Man reikia patyrusio naro, o šiuo metu prieinamiausias yra Bilis.

Solteris neteko žado.

— Tu tikriausiai juokauji.

— Ne. Mano amerikietis draugas Bleikas buvo sužeistas į petį ir dabar nėra geriausios formos. Aš plauksiu į labai nuošalią Airijos pakrantę, kur yra požeminis bunkeris, prikimštas įvairiausių ginklų, kurie tik ir laukia būsimų neramumų. Ketinu išnešioti jį į gabalus, o kadangi tai pakenks Foksui finansiškai, patirsiu dvigubą malonumą. — Jis pažiūrėjo į Bilį. — Klausyk, šunyti, tu padarytum gerą darbą šiame pamišusiame pasaulyje. Ar tu su manim?

Bilio akys nušvito nežemiška šviesa.

— Kaip Dievą myliu, Dilanai, taip. Tie smirdžiai ateina ir sprogdina Londoną. Susprogdinkime ir juos.

— Bili? — įsikišo jo dėdė.

Suskambo Fergiusono telefonas. Jis pasiklausė, tada tarė:

— Puiku. Pasikalbėsime vėliau. — Jis gurkštelėjo šampano. — Čia buvo majoras Roperis. Jis prisijungė prie Baltojo deimanto kompanijos kompiuterio. Ketvirtadienį jie gauna aukščiausios rūšies deimantų krovinį. Vertą dešimties milijonų svarų.

— Tai dabar aišku, kas vyksta, — tarė Dilanas. Jis pasisuko. — Hari?

— Velniop viską, mes su jumis, — atšovė Solteris.

— Nuostabu, — nusišypsojo Dilanas. — Bili, tavęs laukia Škotija ir maloni kelionė jūra.

— Jėzau, — sudejavo Bilis. — Aš susirgsiu jūrlige.

— Pakeliui į Farlėjaus lauką stabtelėsime vaistinėje ir nupirksime kokių nors tablečių. Tai bus po trijų valandų, o tada skinsimės kelią į šiaurę.

— Aš dar niekada nesu buvęs Škotijoje, — tarė Bilis.

— Ką gi, mes tuo pasirūpinsime, — Dilanas šyptelėjo, pamatęs Dorą su lėkštėmis.

— Kaimiškas apkepas ir Krugo šampanas, ir, Dieve, padėk Brendanui Merfiui.

ŠKOTIJA
AIRIJA

11

Kai Dilanas atvažiavo į Rouzdeną aplankyti Bleiko, šis kietai miegojo. Šalia jo sėdėjo Hana. Dezas buvo universitete, bet Bleiku rūpinosi Marta.

— Jis pasveiks, tik kurį laiką teks pailsėti, — tarė ji ir susiraukė. — Tikiuosi, jis nesugalvos ko nors tokio, pone Dilanai? Jus, žmonės, aš pažįstu, bet jis iš tiesų nelabai pajėgus.

— Žinau, Marta, žinau. Kaip yra, taip gerai. Aš išskrendu į Škotiją, todėl apie jo būklę informuokite inspektorę.

— Vėl problemos? — pasiteiravo Marta.

— Kaip visuomet. — Jis pakštelėjo jai į skruostą.

— Ką gi, — atsiduso ji ir senoviškai palinkėjo. — Kad tu numirtum Airijoje.

— O, labai ačiū. — Dilanas nusijuokė. — Iki pasimatymo.

Jiedu su Hana išėjo.

Pakeliui į "Tamsos žmogų" Hana tarė:

— Šis reikalas gali būti pavojingas, Šonai.

— Žinau, ir Bleikas nesusidorotų. Atvirai kalbant, tokios būklės jis būtų tik našta.

— Ką nori, kad padaryčiau?

— Pabandyk jo atsikratyti. Jei pasiseks, tai ir daryti nieko nereikės. Gal Marta galėtų duoti jam kokią tabletę.

— Tu kaip visada labai praktiškas.

— Jis geras žmogus, Hana, o aš — blogas. Dėl savęs aš nesijaudinčiau, tačiau dėl jo — taip.

— Aš niekada nesuprasiu tavęs.

— Aš pats savęs nesuprantu. Stok į klubą. Aš tiesiog egzistuoju, Hana, maniau, kad tu jau supratai tai.

Dilanas pasikalbėjo telefonu ir išskubėjo. Bilis, Solteris, Baksteris ir Holas laukė jo prie užeigos.

— Žinai, man iš tiesų rūpi tas nesubrendęs niekšelis, todėl grąžink man jį sveiką ir gyvą, Dilanai. Ar atkreipei dėmesį, jog aš nesakau "pasistenk"? Todėl neapvilk manęs, nes jei grįši vienas... — nutęsė Haris.

— Supratau, — nutraukė jį Dilanas. — Šok vidun, Bili.

Vairuotojas įdėjo lagaminą į bagažo skyrių, o Bilis, susijaudinęs ir nerimstantis, atsisėdo priekyje.

— Jėzau, Dilanai, į ką tu mane įvėlei?

— Į labai didelį nuotykį, Bili. Kai grįši, galėsi stoti į Laivyną.

— Kurgi ne. Aš noriu būti laisvas žmogus.

Farlėjaus lauke jų laukė ūkio dalies viršininkas, atsargos majoras seržantas, su sąrašu rankose.

— Viskas pakrauta, pone Dilanai. Valteriai su Karsvelo duslintuvais, trys Uzi automatai su duslintuvais. Apsvaiginančios granatos, pustuzinis skeveldrinių bombų — jei kartais kiltų problemų, taip pat semteksai ir taimeriai.

— O kaip su nardymo įranga?

— Standartiniai kostiumai ir plaukmenys, kokius turi Specialioji laivyno tarnyba. Mūsų agentas Obane įduos jums šešis oro balionus. To turėtų pakakti.

— Puiku.

Leisis ir Peris jau laukė jų "Galfstryme", Medokas stoviniavo laiptelių apačioje.

Dilanas pakštelėjo Hanai į žandą.

— Mirštantieji sveikina tave.

— Nekvailiok. Pasimatysime rytoj.

— Žinau, ir atidžiai stebėk Rigang. Jis gudrus žaltys.

— Maniau, kad tu toks.

Tai buvo neapgalvotai ištrūkę žodžiai, ir Hana iškart pasigailėjo tai pasakiusi, bet Dilanas šyptelėjo.

— Ak, na ir kieta tu moteris.

Jis užstūmė Bilį laipteliais, Medokas užlipo paskutinis ir uždarė duris. "Galfstrymas" nuriedėjo takeliu.

— Kodėl? — sušnabždėjo Hana. — Kodėl aš taip kalbu? — Tačiau širdyje ji žinojo, kodėl. Dilano praeitis pasmerkė jį. Visi tie metai tarp ARK provizionistų, žudynės.

Ji nulydėjo akimis kylantį lėktuvą.

— Kad tave kur, Dilanai, — tarė ji. — Eik tu skradžiai žemę.

Pain Grouve Roperiui pavyko kai ką sužinoti. Jis patikrino informaciją dar kartą ir paskambino Fergiusonui.

— Foksas ir du jo parankiniai užsiregistravo Dorčesterio viešbutyje visai savaitei.

— Dar kas nors?

— Merfis ir Dermotas Kelis yra lėktuvo, skrendančio iš Paryžiaus į Dubliną, keleivių sąraše. Lėktuvas leisis Dubline vadinamuoju airių arbatėlės metu.

— Gal numanai, kur jie vyks toliau?

— Nagi, brigadininke, aišku, kad į Kilbegą. Tenykščiai mano jį esant vos ne Robinu Hudu. Jei norite pasitkslinti, kodėl jums nepaskambinus tam vyriausiajam inspektoriui Malonei iš Gardos specialiojo skyriaus?

— Nuostabi mintis, — pritarė Fergiusonas.

Minutėlę pamąstęs, jis susuko Malonei į Dubliną.

— Čarlis Fergiusonas, Danieli.

Malonė suvaitojo.

— Ko, velniai rautų, nori, Čarli?

— Paslaugos.

Merfis ir Kelis nusileido Dublino oro uoste pusę penkių po pietų, su nedideliu bagažu praėjo muitinės kontrolę, išėjo iš pastato ir prisiartino prie seno fordo. Jame sėdėjo Džonas Konolis, o šalia jo — Džozefas Tomeltis; abu užkietėję respublikonai, daugelį metų buvę Merfio grupės nariai, vaikystės draugai. Jie pasisveikino su Merfiu ir Keliu.

— Sveikas gyvas, Brendanai, — tarė Konolis. — Ar gerai sekėsi?

— Sušiktai, — atsiliepė Merfis. — Blogiau ir būti negalėjo. Važiuokim iš čia. Namuose viską papasakosiu.

Jie visi susėdo ir nuvažiavo. Malonė, sėdėdamas automobilyje be skiriamųjų ženklų, tarė vairuotojui:

— O varge. Konolis, Tomeltis ir dar Brendanas su Dermotu Keliu. Senoji Kilbego mafija. Nėra jokios abejonės, kur jie važiuoja, bet pasekime juos saugiu atstumu ir įsitikinkime, kad jie suka į šiaurę.

Po dvidešimties minučių, jau už Dublino ribų, jis patapšnojo vairuotojui per petį.

— Apsisuk. Jie tikrai važiuoja į Kilbegą.

Įvažiavus į Dubliną, Malonė paskambino mobiliuoju telefonu Fergiusonui ir papasakojo, ką matęs.

— Vadinasi, Kilbegas? — tarė Fergiusonas.

— Aš tuo tikras. Ar ketini sukelti mums rūpesčių, Čarli?

— Nekvailink savęs, Danieli, juk žinai, kad darome paslaugą ne tik sau, bet ir tau. Nesikišk, o aš tave informuosiu.

— Dar vienas klausimas. Kadangi šiam reikalui vadovauji tu, vadinasi, Dilanas irgi įpainiotas.

— Akivaizdu.

— Tada, Dieve, padėk Brendanui Merfiui.

Fergiusonas padėjo ragelį ir atsisuko į Haną, kuri klausėsi pokalbio.

— Girdėjai? Merfis ir jo kompanija pakeliui į Kilbegą.

— Pranešiu apie tai Dilanui — jam gali tekti pakeisti planus.

— Nemanau. Tu juk žinai, koks jis. Merfis ar ne, jis vis tiek bus ten rytojaus naktį. Kaip blogame filme apie karą.

— Žinau, sere. Jis elgiasi taip, tarsi trokštų mirti.

— Kodėl?

— Dievas žino.

— Jūs jo nemėgstate, inspektore?

— Jūs labai klystate. Tiesą sakant, jis man net labai patinka. Jis primena man Lajemą Devliną, mokslininko, aktoriaus, poeto ir negailestingo šaltakraujo žudiko kombinaciją.

— Kaip seras Volteris Reilis, — tarė Fergiusonas. — Gyvenimas kartais pažeria netikėtumų.

Dilanas ir Bilis atvažiavo į uostą Oro laivyno automobiliu be skiriamųjų ženklų. Juos atlydėjo du uniformuoti seržantai, Smitas ir Brajanas.

— Aš jau patikrinau jį, — tarė seržantas Brajanas. — Tai dviejų šimtų jardų "Kalnietis".

— Man jis neatrodo labai patikimas, — suabejojo Bilis.

— Nespręsk pagal išorę. Jame dvigubas laivasraigtis, mechaninis gylio lotas, radaras, automatinis valdymas. Gali plaukti dvidešimt penkių mazgų greičiu.

— Gerai. Griebkimės darbo, — paragino Dilanas.

— Taip, sere, mes tuoj paruošime velbotą.

Po keturiasdešimties minučių įranga buvo perkrauta į laivą, viskas sutvarkyta. Brajanas tarė:

— Jums įdėjome guminę valtį su varikliu už borto. Ką gi, mes grįžtame į krantą.

— Ačiū už gerą darbą, — padėkojo Dilanas.

Seržantai nuplaukė velbotu. Suskambo Dilano mobilusis telefonas. Hana Bernštain papasakojo jam paskutines naujienas apie padėtį Kilbege.

— Ar Merfis nesukels tau problemų?

— Tik jei nesugebėsiu pribaigti to išperos. Kaip Bleikas?

— Vis dar išsijungęs.

— Gerai, tegu taip ir lieka. Iki rytojaus.

Obaną gaubė migla; smulkus lietus, genamas vėjo, maišėsi su jūros vandeniu. Kalnų viršūnes dengė žemi debesys, bet už Kereros, Lorno įlankoje, jūra maištavo.

— Tai čia Škotija? — apsidairė Bilis. — Kokia velniškai siaubinga vieta. Kaip čia gali kas nors atostogauti?

— Nesakyk to turizmo agentūroms, Bili, jos nulinčiuotų tave. Eime, mūsų laukia darbas. Vėliau galėsime išlipti į krantą ir kur nors pavalgyti.

Laivagalio kajutėje jis išdėliojo nardymo įrangą.

— Man nereikia tau aiškinti, kas yra kas, nes tu ganėtinai patyręs, tačiau patikrinkime ginklus.

Jie iškrovė ant stalo valterius, semteksus, kulkosvaidžius ir granatas.

— Leisk trumpai supažindinti tave su Uzi kulkosvaidžiais, Bili. Valteriai yra gana paprasti.

Kurį laiką jie apžiūrinėjo ginklus, tada Dilanas paėmė vieną valterį ir nusivedė Bilį į vairinę. Šalia prietaisų skydo buvo šoninis skydelis. Dilanas nuspaudė mygtuką, ir viduje atsivėrė saugiklių dėžė. Jis užtaisė valterį, įkišo jį į dėžės vidų ir uždarė skydelį.

— Reikia būti gerai pasiruošusiam, Bili. Nepamiršk, kad jis čia. Tai išeitis iš keblios padėties.

— Tu apie viską pagalvoji, ar ne?

— Štai kodėl aš vis dar gyvas. Dabar eikime į krantą ir užkąskime.

Prieš išeinant jis užgesino denyje šviesas, tada jie nuplaukė gumine valtimi į krantą ir pririšo ją. Netoliese veikė užeiga, kurioje buvo galima pavalgyti. Jie įėjo, peržvelgė valgiaraštį ir apsistojo ties žuvies apkepu.

Dilanas užsisakė Bušmilo viskio, bet Bilis papurtė galvą.

— Aš nenoriu. Niekada nemėgau alkoholio, Dilanai. Matyt, man kažkas negerai.

— Na, daugelį gyvenimiškų dalykų galima rasti Biblijoje, o toji išmintinga knyga sako: “Vynas tik susuka protą, o stiprus gėrimas priverčia šėlti”. — Jis nusijuokė. — Tai pasakęs, užbaigsiu šį ir užsisakysiu dar vieną.

Vėliau, grįžus į laivą, ėmė lyti dar smarkiau. Jiedu susėdo laivagalio denyje po apdangalu, ir Dilanas papasakojo Biliui apie Katerinos Džonson mirtį ir visus kitus įvykius nuo Niujorko iki Al Šarizo.

— Tie gangsteriai tikri šūdžiai, — tarė Bilis. — Merfis irgi ne geresnis.

— Kaip pirštu į akį.

— Tai mes juos pašalinsime?

— Tikiuosi.

Lietus subarbeno į apdangalo drobę, ir Dilanas įsipylė dar viskio.

— Paklausyk, Dilanai, aš šį tą žinau apie tave: buvai ARK narsuolis, vėliau perėjai į kitą pusę. Bet kiekvieną kartą, kai paklausiu dėdės, kaip tai atsitiko, jis nutyla ir užsisklendžia savyje. Kaip viskas buvo?

Gal lietus buvo kaltas, o gal viskis, tačiau užuot rūsčiai pažiūrėjęs ir liepęs rūpintis savais reikalais, Dilanas pasijuto bepasakojąs. Žodžiai liejosi pamažu, bet tvirtai.

— Gimiau Olsteryje, mano mama mirė gimdydama mane. Tėvas išsivežė mane į Londoną. Jis buvo geras žmogus. Turėjo nedidelę statybos įmonę. Jis atidavė mane į Sent Polo mokyklą.

— Aš maniau, kad tai tik frantams.

— Ne, Bili, turintiems smegenų. Kad ir kaip ten būtų, man patiko vaidinti. Įstojau į Karališkąją akademiją. Pasimokiau ten tik metus ir nuėjau į Nacionalinį teatrą. Man buvo tik devyniolika. Mano tėvas sugrįžo į Belfastą ir žuvo, pakliuvęs į susišaudymą tarp ARK ir britų desantininkų.

— O Jėzau, tai bent nepasisekė.

Dilanas įsipylė dar viskio, grimzdamas į praeitį.

— Aš buvau velniškai geras aktorius, tačiau sugrįžau į Belfastą ir įstojau į ARK.

— Suprantama. Juk buvo nužudytas tavo senis.

— Man buvo devyniolika, bet ir jiems buvo po devyniolika, Bili, dauguma tokie kaip tu. Taigi — ARK turėjo karines stovyklas Libijoje. Mane išsiuntė į apmokymus. Po trijų mėnesių nebeliko ginklo, kurio aš nepažinočiau. Reikia bombos — prašom, galiu padaryti bet kokią bombą. — Jis nutilo. — Tik toji pusė man niekada nepatiko. Praeiviai, moterys, vaikai — tai ne karas.

— Tai toks buvo tavo karas?

— Taip, ilgą laiką, tada nusprendžiau viską pakeisti. Buvau profesionalus kareivis, todėl ėmiau pardavinėti savo paslaugas. ETA Ispanijoje, arabams, palestiniečiams, netgi izraeliečiams. Žinai, keista, Bili, kad ką tik Libane susprogdinau laivą su ginklais Sadamui. Juk devyniasdešimt pirmaisiais aš dirbau jam.

— Ką?

— Persijos įlanka. Padėjau miną Dauning Stryte. Tu to neprisimeni.

— Velniškai gerai prisimenu. Skaičiau laikraščiuose. Jie pasinaudojo “Ford Tranzit”, o tada motociklininkas padėjo teroristui pasprukti.

— Tas teroristas buvau aš, Bili.

— Dilanai, tu bjaurybe. Tu vos neišnešei į orą ministro pirmininko su visu jo kabinetu.

— Taip, vos, bet ne iki galo. Tada užsidirbau krūvą pinigų. Aš vis dar turtingas, jei nori žinoti. Vėliau įsivėliau į Bosnijos reikalus. Mane sugavo serbai ir jau ruošėsi sušaudyti, bet čia pasimaišė Fergiusonas, išgelbėjo mano apgailėtiną kailį, o aš savo ruožtu sutikau dirbti jam. Matai, Bili, jam reikėjo ko nors, kas būtų blogesnis už blogiausius, o aš toks ir esu.

Jo balse pasigirdo begalinis liūdesys, ir Bilis nustebęs išgirdo save sakant:

— Ką padarysi, kartais gyvenimas tiesiog priverčia žmogų pasielgti vienaip ar kitaip.

— Taip. Devyniolikametis vaikėzas aktorius elgėsi taip,

tarsi vaidintų blogame filme, tik netikėtai tapo gyva ARK legenda. Žinai tuos vesternus, kur sako, kad Vajetas Erpas nužudė dvidešimt vieną žmogų? Nežinau, koks mano rezultatas, bet galiu pasakyti, kad daug didesnis. — Jis gailiai šyptelėjo. — Ar tu kada nors pavargsti? Turiu galvoj, tikrai pavargsti?

Bilis Solteris sukaupė visas savo jėgas.

— Paklausyk, Dilanai, tau reikia pamiegoti.

— Tiesa. Nedaug iš to naudos, kai prastai miegi, bet nieko bloga neatsitiks, jei pabandysiu.

— Pabandyk.

Dilanas atsistojo.

— Matai, bėda ta, kad man nusispjaut, gyvensiu aš ar mirsiu, o kai imiesi tokio verslo kaip manasis, tai nėra gerai.

— Na, šį kartą tu turi mane. Eik miegoti.

Dilanas nusileido į kajutę. Bilis susimąstęs pasiliko sėdėti ir klausėsi, kaip apdangalą negailestingai plaka lietus. Dilanas jam nepaprastai patiko, dar niekuo Bilis taip nesižavėjo kaip juo — na, išskyrus dėdę. Jis prisidegė cigaretę ir staiga suvokė paralelę. Jo dėdė buvo gangsteris, tikras niekšas, kaip sakoma Londone, tačiau kai kurių dalykų jis niekada nepadarytų. Dabar Bilis suprato, kad Dilanas irgi toks pats.

Jis niūriai pažvelgė į Bušmilo butelį.

— Kad tave kur, — sumurmėjo jis, čiupo butelį, taurę ir sviedė per turėklus.

Jausdamasis keistai atsipalaidavęs, jis sėdėjo klausydamasis lietaus, tada prisiminė filosofijos brošiūrą kišenėje. Bilis išsitraukė ją ir atsivertė kur papuola. Puslapis buvo skirtas kažkokiam Oliveriui Vendeliui Holmsui, žymiam Amerikos teisėjui, kuris Civilinio karo metu buvo pėstininkų būrio karininkas. “Dviem žmonių grupėms, siekiančioms sukurti nesutaikomus pasaulius, nematau jokio kito vaisto, tik jėgą... Man atrodo, kad kiekviena visuomenė paremta žmonių mirtimis”.

Bilis sustingo.

— Jėzau, — sušnabždėjo jis, — galbūt tai paaiškina Dilano elgesį. — Ir jis ėmė skaityti toliau.

Kitą rytą jis pabudo laivagalio kajutėje nuo garsaus riksmo. Nuspyręs į šoną antklodę, jis pašoko ir vienais šortais nuskubėjo į apatinę kajutę. Lietus vis dar pylė, ir Obano uostą dengė migla. Persilenkęs per turėklus, Bilis pamatė Dilaną, išnyrantį iš vandens už kelių žingsnių nuo laivo.

— Šok, vanduo nuostabus.

— Tu tikriausiai visai išsikraustei iš proto, — ir tada Bilis šūktelėjo. — Pažiūrėk už savęs, dėl Dievo meilės!

Dilanas atsisuko pasižiūrėti.

— Čia tik ruoniai, Bili. Nieko baisaus. Jie protingi ir smalsūs. Jų čia pilna.

Jis priplaukė prie kopėtėlių ir užlipo į denį. Po apdangalu ant stalo gulėjo rankšluostis. Dilanas pasiėmė jį.

— Kokia suknista vieta, — Bilis pažvelgė į uostą. — Ar čia visuomet taip lyja?

— Šešias dienas iš septynių. Nekreipk dėmesio. Apsirengsime ir nuplauksime į vakarykštę užeigą. Gausime visus pusryčius, visai kaip Londone.

— Tada aš su tavim.

Hana Bernštain atvažiavo į Rouzdeną apie pusę devynių ir rado priėmimo skyriuje Martą.

— Kaip jis?

— Nekaip. Kulka įsmigo giliai. Mes manėme, kad užteks dvidešimties dygsnių, o prireikė visų trisdešimties. Paklausykit, nežinau, kas vyksta, bet jis negali niekur eiti. Profesorius kaip tik dabar apžiūri jį. Eisiu ir pažiūrėsiu, kaip jam sekasi.

Hana įsipylė iš aparato kavos ir ėmė gurkšnoti. Pasirodė Dezas.

— Pasakykit man teisybę, — tarė jis. — Jis velniškai silpnas, tačiau nesiliauja kartojęs, kad turi svarbių reikalų, ir aš numanau, kad tai reiškia įprastinius reikalus, kokius jūs, Dilanas ir brigadininkas tvarkote.

— Jūs visiškai teisus, tik šį kartą tai labai pavojinga, ir jis jokiu būdu negali dalyvauti, būdamas tokios būklės. Dilanas pats susidoros.

— Žinoma, kurgi ne. Ko norite iš manęs?

— Žinau, tai neetiška, bet ar negalėtumėt jo užmigdyti?

— Chmm. Tai gali būti geriausia išeitis. — Jis atsisuko į Martą. — Jam tikrai reikia gerai išsimiegoti. Jūs žinote, ką daryti. — Jis šyptelėjo Hanai. — Jei norite su juo pasimatyti, geriau padarykite tai dabar.

Bleikas gulėjo atsirėmęs į pagalvę. Jo dešinysis petys ir ranka buvo apibintuoti, veidas išbalęs. Hana pasilenkė ir pabučiavo jį į skruostą.

— Kaip laikaisi, Bleikai?

— Siaubingai. Man reikia truputį pailsėti. Pora valandų, ir aš jausiuos puikiai. Kada mes išvykstame?

— Vėliau, po pietų, bet tu nesijaudink.

— Jėzau, kaip skauda.

Marta, stovėjusi atokiau, iš karto atnešė stiklinę vandens ir porą tablečių.

— Štai, prašom, — tarė ji Bleikui.

— Kas čia?

— Skausmą malšinantys vaistai. Netrukus pasijusite geriau.

Hana laikė jo ranką. Netrukus ši suglebo ir nuslydo ant lovos, o Bleikas nieko nematančiomis akimis stebeilijosi į Haną.

— Dabar jis miegos ilgas valandas, — sušnibždėjo Marta.

Jos išėjo iš palatos. Dezas kabinete pasirašinėjo laiškus. Jis pakėlė galvą.

— Viskas gerai?

— Jis pakeliui į miego karalystę, — pasakė Marta.

— Gerai. Man reikia eiti. Laukia operacija Gajaus ligoninėje. — Jis nusišypsojo Hanai. — Jūs prižiūrėsite jį?

— Brigadininkas. Aš reikalinga kitur. — Ji atsisveikindama linktelėjo Martai ir išėjo su Dezu į kiemą, kur jos laukė daimleris. — Gal jus pavėžėti?

— Ketinau pasigauti taksi, bet sutinku, būtų labai malonu.

— Pirmiausia į Gynybos ministeriją, o tada tu priklausai profesoriui Dezui, — nurodė ji vairuotojui. — Nekenčiu kovo oro, — pridūrė ji. — Prakeiktas lietus.

— O varge, netgi šitaip, ką? — Dezas šyptelėjo. — Kaip jau pastebėjote, Hana, aš indas. Aš nepaprastai jaučiu asmeninius virpesius, ir dabar jaučiu, kad jūs iki kaklo paskendusi rūpesčiuose — Dilanas ir visa kita.

— Kažkas panašaus.
— Kada jūs pasimokysite?
— Žinau. Esu gera žydaitė, netekėjusi, neturiu vaikų, bet puikiai šaudau žmones.
Jis paėmė ją už rankos.
— Hana.
— Ne, nieko nesakykite. Mudu su Dilanu eisime ir vėl gelbėsime pasaulį, tik mane vis labiau kankina klausimas — dėl ko?

Fergiusono kabinete Hana tarė:
— Tai kokia situacija? Dilanas su Biliu Solteriu tvarkosi puikiai. Jie abu patyrę nardytojai, o Dilanas puikiai valdo laivą. Lieku aš ir Šonas Riganas.
— Bleikas atkrenta, todėl tau trūksta vieno žmogaus.
— Būtent, sere.
Fergiusonas atsistojo, priėjo prie lango.
— Tokias juodas operacijas geriau atlikti be specialiųjų pajėgų įsikišimo, — atsisukęs tarė jis. — Štai kodėl aš nepasakiau Specialiosioms oro pajėgoms apie bunkerį Kilbege. Tas darbas turi būti atliktas taip, tarsi jo niekas niekada ir nebūtų daręs.
— Taip, suprantu, sere. Kita vertus, papildomas ginklas praverstų, tiesiog kad pabūtų laive, kol Dilanas ir Bilis tvarkysis krante.
— Šis reikalas sunkus. Ar turi ką nors numačiusi?
— Tiesą sakant, turiu. Puikų šaulį.
— Ir kas jis toks?
Hana pasakė jam.

Dilanas ir Bilis sėdėjo prie lango Obano užeigoje, baigdami valgyti puikius škotiškus pusryčius — rūkytą silkę, virtus be lukšto kiaušinius ir kumpį, nuplaudami viską garuojančia arbata, kai suskambo Dilano mobilusis telefonas.
— Bleikas blogai jaučiasi, — tarė Hana. — Jie užmigdė jį. Jis išsijungė ilgam.
— Tai tu atvyksi su Riganu?
— Taip, bet, Šonai, mums bus sunku. Tu su Biliu krante,

o aš su Riganu — laive. Mums reikia dar vieno žmogaus. Patikimo, kuris žinotų, ką daro — dėl visa ko.

— Ką tu siūlai?

Ji pasakė jam tą patį, ką ir Fergiusonui, ir Dilanas nusijuokė.

— Kodėl gi ne? Nėra nieko geriau už profesionalų karį. Kada tu išvyksti?

— Antrą valandą. Būsiu pas jus apie pusę penkių.

— Lauksim. — Dilanas įsikišo telefoną ir nusišypsojo. — Tai va, Bili, tau teks gražiai elgtis.

— Ką nori pasakyti?

Dilanas jam paaiškino.

Fergiusonas palydėjo Haną į Pain Grouvą, kai ši važiavo pasiimti Rigano. Šis buvo Roperio kabinete. Šalia stovėjo Helena Blek ir Mileris.

— Ką gi, atrodo, kad tas niekšelis pasakė tiesą ar bent jau dalį tiesos, — tarė Roperis.

— Tiesą, aš pasakiau tiesą, — susinervino Riganas.

— Žiūrėk man. — Fergiusonas šaltai šyptelėjo. — Jei ne, pasirūpinsiu tavo ateitimi artimiausiems penkiolikai metų. — Jis linktelėjo Mileriui. — Nuvesk jį į jo kambarį — tegu pasiruošia kelionei. Uždėk antrankius.

Mileris padarė kaip lieptas, ir Fergiusonas atsigręžė į Haną.

— Klokit, inspektore.

Hana prabilo:

— Turime problemą, majore seržante. Jūs beveik viską žinote, tačiau leiskite man trumpai apibendrinti padėtį. Šią popietę mes išplaukiame iš Obano į Laufo grafystę. Dilanas, Bilis Solteris ir aš kaip Rigano sargybinė. Bleikas Džonsonas blogai jaučiasi po sužeidimo. Mums trūksta žmogaus.

— Supratau. — Helena šyptelėjo. — Kiek turiu laiko susidėti daiktus?

— Pusę valandos.

— Tada reikia paskubėti, — ji jau ėjo prie durų.

Po kurio laiko Hana palydėjo Riganą į automobilį ir pasodino ant vienos iš papildomų sėdynių. Vairuotojas sukrovė visų daiktus į bagažo skyrių, o Fergiusonas minutėlei pasiliko su Helena laiptų viršuje vieni. Helena vilkėjo chaki spalvos kombinezoną.

— Labai tau dėkoju, Helena.

— Tonis šiuo metu Bosnijoje, — Helena prakalbo apie savo vyrą. — Karališkoji gvardija turi ten du būrius.

— Žinau, mieloji.

— Nereikia jo jaudinti, bet jei kas atsitiktų, tu pasirūpink juo, gerai?

— Mano brangioji Helena, — jis pabučiavo jai į žandą. — Tiesiog pasitikėk Šonu Dilanu. Jis pirmos rūšies niekšas, bet — Dievas mato — pats geriausias.

— Gali man nesakyti, juk aš tiek metų praleidau Olsteryje. Iki, Čarli, ir ačiū, kad pakvietei mane į vakarėlį.

“Galfstrymas” jau laukė jų. Medokas sukrovė bagažą, tada sulaipino keleivius. Kai atėjo Peris ir Medokas, Hana visus supažindino.

— Stiprokas priešpriešinis vėjas, — pasakė Leisis. — Paprastai skrendame valandą keturiasdešimt penkias minutes, bet šiandien galime užtrukti dvi valandas.

Jiedu su Periu nuėjo į kabiną, užvedė variklius, ir netrukus lėktuvas ėmė sparčiai kilti.

Riganas ištiesė surakintas rankas.

— Gal jau nuimtumėt? Aš niekur nepabėgsiu.

Helena Blek nusijuokė.

— Tas tiesa. — Ji išsitraukė raktelį ir nuėmė antrankius. Atėjo Medokas.

— Ponios, arbata.

— Puiki mintis, — atsiliepė Hana.

— Aš norėčiau airiško viskio, — tarė Riganas.

Medokas žvilgtelėjo į Haną. Ji linktelėjo.

— Duokit, ko jis nori, seržante.

Helena atsisuko į ją.

— Ką gi, aš ir vėl grįžtu į karo zoną.

Sugrįžus į “Kalnietį”, Bilis sudejavo:

— Jėzau, Dilanai, negana to, kad bus dvi bobos, bet abi dar ir farės.

— Taip, Skotland Jardo specialusis skyrius ir karinė policija. Bet atmink viena, Bili: jos ne kartą žudė tarnybos metu. Abi žino, ką daro.

— Ir į ką aš įsivėliau?

— Na, kaip pasakytų Heidegeris, o tu ne kartą jį citavai, gyvenimas — tai aistra ir veikla...

Bilis jį nutraukė.

— Gerai jau, vadinasi, ši kelionė turi būti velniškai aktyvi ir siaubingai jaudinanti.

— Tau tikrai patiks, Bili, — atsiliepė Dilanas.

12

Lietus nesiliovė. Bilis po apdangalu vyniojo virvę, kai nuo molo pasigirdo balsas:

— "Kalnieti", atsiliepkite!

Prieplaukoje šalia reindžroverio stovėjo Hana, Helena Blek ir Riganas. Vairuotojas vilkėjo civiliais drabužiais, tačiau buvo aišku, kad jis iš Oro laivyno pajėgų.

Bilis pašaukė Dilaną.

— Jie čia, Dilanai.

Dilanas užlipo į denį ir pažiūrėjo į krantą.

— Puiku. Einu, atplukdysiu juos.

Jis priplukdė valtį prie laiptelių, ir Hana šūktelėjo:

— Viskas gerai?

— Kuo puikiausiai. Duokite šen savo bagažą.

Vairuotojas išėmė iš bagažo skyriaus tris krepšius. Tada į valtį nusileido Riganas, jo rankos vėl buvo su antrankiais. Jis ištiesė Dilanui rankas.

— Jaučiuosi it būčiau sukaustytas grandinėmis su kitais kaliniais.

— Ten tau ir vieta, šūdžiau, — Dilanas stumtelėjo jį į valtį. — Eik, sėsk. — Tada atsisukęs pasisveikino su moterimis. — Majore seržante, inspektore. Greitas laivas ir kelionė naktį. Veiksmas, aistra — visko užteks.

— Labai įdomu, — atsiliepė Helena. — Nekantrauju tai patirti, — ir ji žengė į valtį.

Dilanas padavė bagažą Biliui ir padėjo damoms sulipti į laivą. Hana apsidairė.

— Vaje, turiu pasakyti, kad jis nėra prabangus.

— Po nušiurusia išore slypi nuostabus vidus, todėl nesijaudink, — tarė Dilanas. — Įsitaisykit, prirakinkite Šoną salone, ir judam. — Jis pažiūrėjo į Riganą. — Atmink viena: mes vėl grįžtame į seną filmą — vienas klaidingas judesys, ir tu negyvas.

— Baik, Dilanai, juk vis tiek mane nužudysi.

— Ne, jei elgsies gražiai.

Jie nuvedė Riganą į saloną, damos įsitaisė laivagalio kajutėje, o Dilanas ėmė ruoštis išplaukti. Jis nusivedė Haną, Heleną ir Bilį į vairinę ir supažindino su valdymo sistema, tada parodė moterims valterį, paslėptą skydelyje šalia vairo.

— Jei prireiktų.

Į uostą ėmė plūsti jūros vanduo, ir "Kalnietis" pradėjo siūbuoti.

— Jėzau, jaučiuosi bjauriai, — išlemeno Bilis, pasikėlė į denį ir ėmė vemti per bortą.

Dilanas nuėjo paskui jį, išėmė iš kišenės buteliuką su tabletėmis ir ištiesė Biliui.

— Išgerk porą, Bili. Pasijusi geriau.

— Švelnumas ir rūpestis iš didžiojo Šono Dilano? — nusistebėjo Hana.

Dilanas šyptelėjo.

— Lazdos ir akmenys, Hana, bet tai nesvarbu. Mums laikas išplaukti, jei norime suspėti laiku, todėl turime ir kitų rūpesčių. Puolimo planą aptarsime vėliau. Šiuo metu vėjo stiprumas nuo penkių iki šešių, bet vėliau turėtų susilpnėti.

Vėjui šiek tiek susilpnėjus, jie išplaukė į neramią putojančią jūrą. Dilanas stovėjo prie vairo vienas. Po kurio laiko atėjo Helena, nešina puodeliu arbatos.

— Arbata, — tarė ji. — Tikiuosi, mėgsti ją.

— Jūs nuostabi moteris.

— Aš irgi pusiau airė, Dilanai, iš tėvo motinos pusės. Nepaisant trisdešimt metų besitęsiančio karo, man atrodo, kad mes kažkaip neatsiejamai susimaišę.

— Aštuoni milijonai airių Jungtinėje karalystėje, majore seržante, kai Respublikos gyventojų skaičius tik trys su puse milijono. Keista, ar ne?

— Judu su inspektore irgi keisti.

— Hana kieta moteris, moralistė. Jai sunku atleisti man už mano pašėlusią praeitį. O jūs štai suprantate mane puikiai. Mudu keliavome tuo pačiu keliu, tik skirtingose jo pusėse.

— Taip. Čia ir visa problema, ar ne? — Ir Helena išėjo.

Bilis pasirodė po valandos ir atnešė dar vieną puodelį arbatos.

— Kaip tu, Dilanai?

— Gerai, o kaip tu?

— Tabletės padėjo. Dabar Riganui bloga. Gal duok ir jam tų tablečių?

Dilanas padavė jam buteliuką.

— Pasirūpink tuo, Bili. Paskui pranešk man, kaip jis.

Po pusvalandžio Bilis sugrįžo.

— Jis guli, bet manau, kad tos tabletės padeda.

— Tai gerai.

— Žinai, Dilanai, aš čia galvojau apie tą reikalą su Baltojo deimanto kompanija, — tarė Bilis.

— Tęsk. — Dilanas įjungė automatinį valdymą ir užsirūkė.

— Taigi jie perpjovė grotas, ir mes žinome, kad tie tuneliai eina tiesiai po Sent Ričardso doko rūsiais. Tereikia kūjo, ir gali prasimušti pro senas plytų sienas.

— Ir ką?

— Bet kaip su saugyklomis? Aš niekaip nesuprantu, kaip jie ruošiasi praeiti pro elektroninę apsaugą.

— Ir aš ne. Bet turi būti koks nors protingas paaiškinimas. Čia kaip ir su kompiuteriais, Bili. Jie irgi labai protingi, bet jei pavyksta įsilaužti į juos, gali gauti visą norimą informaciją. — Dilanas nusišypsojo. — Nesijaudink, Bili. Tuo rūpinasi Haris, Roperis irgi. Jie duos atsakymą. Dabar mane jaudina tik Kilbegas ir tai, kaip sugrąžinti tave sveiką ir gyvą Hariui, nes nenorėčiau, kad tektų jam aiškintis.

— Liaukis tauškęs niekus, Dilanai. Aš padarysiu tai, ką turiu padaryti.

— Gerai, laikas pasakyti tiesą, Bili. Kadangi Bleiko nėra, teks palikti laive vienas moteris. Tau reikės eiti į krantą su manimi. Kaip tau tai?

— Puiku, — nusišypsojo Bilis. — Geriau nebūna. Aš su tavimi, Dilanai, kad ir kur tu eitum. — Ir jis išėjo iš vairinės.

Vakare atsidarė vairinės durys, pro kurias pasklido kepto kumpio kvapas.

— Arbata ir sumuštiniai, — tarė Hana.

— Ką gi daro toji graži žydaitė, duoda mums kiaulienos?

Ji nekreipė dėmesio į jo žodžius.

— Kur mes esame?

— Į rytus nuo Islėjaus. Lietus gana audringas.

— Gal galiu pakeisti tave?

— Nėra reikalo. Aš įjungsiu automatinį pilotą.

Dilanas patikrino kursą, įjungė valdymą ir įniko į sumuštinius.

— Nepakartojama. Ar yra žinių iš Londono?

— Ne.

Dilanas suvalgė sumuštinius ir išgėrė arbatą.

— Štai. Ačiū, mieloji.

— Galėtum eiti ir numigti porą valandų, aš pavairuočiau.

— Eik jau, ką moterys išmano apie laivus?

Plačiai atsidarė vairinės durys, ir pro jas įžengė Helena Blek.

— Nebūkite šovinistinė kiaulė, pone Dilanai. Nežinau, ar inspektorė išmano apie laivus, bet aš išmanau. Tai mudviejų su vyru hobis, todėl užsičiaupk ir eik ilsėtis. Tavęs laukia sunki naktis.

Dilanas iškėlė rankas.

— Paklūstu šiam baisiam moterų nurodymui. Palieku jus vienas, damos. — Ir Dilanas nusileido į apačią.

Hana irgi išėjo. Helena su malonumu paėmė vairą ir padidino greitį. Ji užsigalvojo apie savo vyrą Tonį, dabar esantį pačiame Bosnijos pragare. Jai buvo skaudu, nes Karališkoji kavalerija buvo asmeninė karalienės sargyba, jodinėjanti po Londoną su krūtinės šarvais ir šalmais; būtent juos visi laikė šokoladiniais kareiviais. O iš tikrųjų jie tarnavo Folklendų salose, Persijos įlankos kare, Airijoje ir dar daugybėje bjaurių karų ar susirėmimų.

Jos bėda ta, kad ji moteris, tačiau yra karė ir myli armiją. Žinoma, Dilanas irgi kareivis. Jis jai ganėtinai patinka, nors buvo pats blogiausias priešas.

Ankstyvo vakaro tamsoje ji pamatė airių kelto kontūrus, raudonas ir žalias navigacines švieseles. Helena truputį pakeitė kursą, tada padidino greitį, lenktyniaudama su pučiančiu iš rytų vėju. Bangos vis didėjo.

Dabar jau buvo beveik tamsu, tik nuo jūros sklido silpnas fosforinis švytėjimas. Atsidarė durys, ir į vairinę įėjo Dilanas.

— Kaip sekasi?

— Jūra pakankamai audringa.

Dilanas įjungė radiją, susirado orų prognozės kanalą ir pasiklausęs tarė:

— Viskas gerai. Vėjas netrukus aprims. Kodėl jums nenuėjus išgerti kavos? Aš čia pabūsiu, o tada įjungsime autopilotą ir aptarsime, ką daryti toliau. Po valandos ar pusantros pasieksime Laufo pakrantę.

— Puiku, — linktelėjo Helena ir išėjo.

Po pusvalandžio Brendanas Merfis, Dermotas Kelis, Konolis ir Tomeltis įvažiavo į Kilbegą ir sustabdė mašiną prie "Patrioto" užeigos. Merfis, gūždamasis nuo merkiančio lietaus, įbėgo į vidų pirmasis.

Tai buvo tipiška airiška aludė su baru, alaus pompomis ir židiniu. Prie jo sėdėjo tik trys seniai. Savininkas, Fergiusas Salivanas, stovėjo už baro.

— Jėzau, Brendanai, džiugu tave matyti.

Jie paspaudė vienas kitam rankas.

— Šįvakar čia galima numirti iš nuobodulio, — tarė Brendanas.

— Pirmadienio vakaras, ką padarysi. Kuo galėčiau tau padėti?

— Paruošk lovas man ir Dermotui. Mes dar turime reikalų. Dabar tik išgersime, o miegoti grįšime vėliau.

Salivanas įpylė keturis stiklus airiško viskio ir penktą sau.

— Už Airijos Respublikos kariuomenę.

— Ir sąmyšį tarp anglų, — pridūrė Merfis.

Po kurio laiko visa kompanija jau traukė Kilbego vienuolyno griuvėsių labirintais, kol priėjo tamsias ąžuolines duris, kaustytas geležimi. Jos atrodė taip, tarsi būtų stovėjusios ten šimtmečius, nors iš tiesų tai buvo tiksli kopija, apmušta puikiausios kokybės plienu. Merfis išsitraukė iš kišenės siųstuvą-imtuvą ir nuspaudė mygtuką. Pasigirdo tylus murmesys.

— Merfis, — ištarė jis. — Sezamai, atsidaryk!

Po sekundės durys automatiškai atsivėrė. Jis ir Kelis įžengė į trumpą tunelį ir nulipo betoniniais laiptais. Visur degė elektros šviesa; atsidarė dar vienos durys, už kurių buvo betono koridorius, vedantis į pagrindinę bunkerio dalį.

Ten laukdami stovėjo du vyrai: Lajemas Brosnanas — aukštas, stambus, su ilgais, pečius siekiančiais plaukais, ir Martinas O'Nilas, visiška pirmojo priešingybė — mažas ir raudonplaukis. Vienintelis juos siejantis dalykas buvo AK 47 automatai jų rankose.

— O, jūs bent jau ant kojų, — tarė Merfis. — Kokios nors problemos?

— Tik viena, Brendanai, — atsiliepė Brosnanas. — Prie įėjimo, ten, kur tunelis nuožulnėja ir užsibaigia laiptais, susikaupė apie pėdą vandens.

— Parodykit.

Jie nuėjo pirmi, o Merfis su Keliu nusekė iš paskos. Likusioje bunkerio dalyje buvo tamsu ir šalta.

— Kodėl čia nešildoma ir neapšviesta? — piktai paklausė Merfis.

— Apie tai ir kalbame, Brendanai. Anoje bunkerio dalyje viskas gerai, o ši, einanti po sena ferma, turi atskirą sistemą. Matyt, potvynis viską sukniso.

— Tai tas lietus, — tarė O'Nilas. — Pastarąsias dvi savaites smarkiai lijo.

— Pats žinau, kad tai dėl to prakeikto lietaus, tu neūžauga, — atšovė Merfis. — Bet jei nėra elektros, užstrigs ir vartai. Ten nėra jokių grotų. Jų nereikėjo, kol veikė elektronika.

— Aš pritvirtinau prie rankenų grandines ir prirakinau jas prie grindų, — atsakė Brosnanas. — Laukiau tavęs, Brendanai. Žinau, kad norėtum ko nors patikimesnio.

— Būtent. Nesirūpink, Dandalke gyvena toks Petersonas, jis stato įmantrius namus. Jis žino, iš ko valgo duoną.

— Suprantu, ką nori pasakyti.

— Paskambink jam ir pranešk, kad laukiu jo "Patriote" pusryčiams, pusę devynių rytoj ryte. Papasakok jam apie potvynį ir pasakyk, kad tikiuosi stebuklo. Arba tegu jis viską sutvarko, arba gaus kulką į kairįjį kelį, ir tai bus tik pradžia.

Jie sugrįžo atgal pro sandėlius. Aplinkui tvarkingai rikiavosi minosvaidžiai, priešlėktuvinės raketos ir kulkosvaidžiai, naujutėlaičiai automatai. Dėžės su semteksais.

Merfis prisidegė cigaretę ir tarė Keliui:

— Tik pažiūrėk, Dermotai. Jie tik ir laukia, kada bus panaudoti, kol tos senės Londone pliauškia apie taiką.

— Tiesą sakai, Brendanai.

— Mūsų diena ateis. Einu, patikrinsiu kabinetą.

Jis buvo tunelio gale, mažas, neperkrautas, su dokumentų spintomis, kompiuteriais ir stalu.

— Palaukite už durų, — paliepė Merfis Brosnanui ir O'Nilui.

Kelis uždarė paskui save duris. Merfis atsiklaupė už stalo ir pakėlė dalį kilimo. Po juo, betono grindyse, buvo senamadiškas seifas su paprasta rakto skylute. Merfis apčiuopomis susirado po stalu raktą ir atrakino seifą.

Viduje buvo krūvelės svarų ir dolerių, tvarkingai suvyniotos į permatomus plastikinius maišelius. Jis pasiėmė keletą.

— Manai, kad tai pinigai, Dermotai? Ne, tai valdžia. Su pinigais gali viską, o šiame seife jų beveik trys milijonai.

— O kaip Foksas, Brendanai? Juk žinai, ką noriu pasakyti? Tu juk skolingas jam?

— A, velniop Foksą. Matai, kas atsitiko Al Šarize. Visiškas mėšlas, ir viskas tik per Foksą. Tikriausiai. Kaip kitaip tie izraeliečiai sužinojo apie mus? Tai jau tikrai ne iš manęs.

— Tai tu neketini jam mokėti?

— Ketinu, velniai griebtų. — Merfis užrakino seifą ir uždengė grindis kilimu.

— O jei sukels triukšmą, Brendanai?

Merfis nusijuokė.

— Mafija? Dermotai, čia Airija, vienintelė vieta pasaulyje, kur jie bejėgiai. Čia mūsų valdžia, mano ir tavo, Dermotai, todėl eime, išlenksime ta proga butelį ir padoriai pavakarieniausime "Patriote".

Visi susėdo "Kalniečio" salone aplink stalą ir pasitiesė didžiulį žemėlapį.

— Kilbego kaimas, — tarė Dilanas. — Vienuolynas yra už ketvirčio mylios į rytus. Bunkeris po juo. — Jis pabaksnojo pirštu į žemėlapį. — Štai čia, kur parodyta apgriuvusi ferma, pasak Šono, yra išėjimas iš bunkerio. — Jis pažiūrėjo į Riganą, kuris surakintomis rankomis sėdėjo ant suolelio. — Ar taip, Šonai?

— Eik velniop, — atšovė Riganas.

— Kaip ketini veikti? — paklausė Helena.

— Pasak Rigano, ten yra tik du prižiūrėtojai. Ketinu veikti skubiai ir ekonomiškai. Išsprogdinu bunkerio duris, pašalinu prižiūrėtojus ir palieku šimto svarų semteksų bloką, kuris išneš bunkerį į padanges. Jame yra ne tik ginklų, bet ir semteksų. Tai bus panašu į Lapkričio penktosios naktį.

— Kai švenčiamas, jei neklystu, nesėkmingas Gajaus Fokso mėginimas susprogdinti parlamentą, — įsiterpė Hana.

— Man pasiseks.

— O aš? — pasiteiravo Bilis.

— O tu dengsi mane, — tarė Dilanas. — Kai aš įeisiu, tu pasiliksi saugoti durų.

— O, nuostabu. Taigi aš stoviniuosiu kaip koks mulkis.

— Neverkšlenk, Bili. Tau teks mane prižiūrėti.

— Kaip veiksime, pasiekę krantą? — toliau klausinėjo Helena.

— Taigi ten yra tokia prieplauka, senas granito molas. Pasak Roperio, ten kartais atplaukia jachtos ir paprastai išmeta inkarus įlankoje. Mes darysime taip. Prišvartuosime laivą prieplaukoje — tai padarysite jūs, majore seržante. Mudu su Biliu iš karto apsirengsime nardytojų kostiumais. Iškrausime nardymo įrangą ant molo, jei kartais tektų grįžti sunkesniu keliu. Tada jūs patrauksite laivą į įlanką ir išmesite inkarą.

— Gerai, — tarė Helena.

— Mudu su Biliu pasiimsime siųstuvus, jūs irgi juos turėsite, taigi galėsime palaikyti ryšį. Kur toji ferma — už ketvirčio mylios? Taigi mes įšoksime ir iššoksime, štai ir viskas. Jei pasiseks, viskas bus atlikta taip švariai, kad aš paprašysiu jūsų priplaukti ir paimti mus nuo kranto. — Jis atsisuko į Bilį ir šyptelėjo. — Nereikės šlapinti kojų.

— Būtų puiku. Velniškai jau šalta vandenyje.

Dilanas pažiūrėjo į Šoną Riganą, niūriai sėdintį ant suoliuko surakintomis rankomis.

— Dabar tavo eilė, sūnau. Ar yra kas nors, ko man nepasakei?

— Pasakiau viską, ką žinojau.

— Tikiuosi tavo paties labui, nes jei ką nors pamiršai, tavęs laukia mirtis vandenyje. Ir tai nėra gražus posakis. — Jis atsisuko į kitus. — Taigi, žmonės, planas aiškus, pradedam jį vykdyti.

Kai jie įslinko į prieplauką, buvo devinta valanda, tamsu nors į akį durk. Varikliai sudrebėję nutilo. Dilanas paliko laivo valdymą Helenai. Ji valdė laivą viena ranka, kita laikydama prie akių naktinius žiūronus. Po sekundės Dilanas jau rišo virvę aplink stulpą.

— Tvarka, Bili, duok šen įrangą.

Bilis pūškuodamas išvertė per bortą oro balionus ir kitus daiktus, o Dilanas sukrovė juos ant prieplaukos tiltelio.

— Gerai, sūnau, dabar ateik pats.

Bilis išlipo į prieplauką.

— Pirmą kartą esu Airijoje, kokia siaubinga vieta.

— Pragaro centras, Bili. — Dilanas šūktelėjo Helenai: — Judėkit!

“Kalnietis” ėmė stumtis nuo prieplaukos, ir Dilanas nusprendė patikrinti siųstuvą:

— Ei, inspektore, ar vis dar myli mane?

— Nekvailiok, — atsiliepė ji ir pridūrė: — Dėl Dievo meilės, Dilanai...

— Žinau, pasirūpink savimi. Ką gi, einame gelbėti britų gyvenimo būdo. Šaulys airis ir gerai žinomas Londono gangsteris. Kodėl tai turi daryti tokie žmonės kaip mes?

Jis išjungė siųstuvą, pasitikrino savo kulkosvaidį ir persimetė jį per krūtinę. Bilis padarė tą patį. Dilanas patikrino valterį, Bilis irgi pasekė jo pavyzdžiu. Prisiminęs Dilano pokalbį siųstuvu, jis paklausė:

— Tai ar žinai atsakymą? Kodėl tai turi daryti tokie žmonės kaip mes?

— Bili, didis anglų rašytojas kartą pasakė — ironiška, bet kai iškyla toks reikalas, bjauriausius dalykus, kurių negali atlikti bendroji visuomenė, tenka atlikti tokiems šiurkštuoliams kaip mes, o tada bendroji visuomenė pasmerkia juos. Tai vadinasi būti kareiviu.

— Bet aš nesu suknistas kareivis.

— Tu gansteris, Bili. Tai tas pats, taigi užsičiaupk ir sek paskui mane.

"Kalnietyje" Hana, paklusdama Helenos įsakymui, išmetė inkarą. Šonas Riganas sėdėjo apačioje surakintomis rankomis ir galvojo. Jis buvo praktiškas žmogus, todėl taip ilgai išgyveno kare.

Vis dėlto, kad ir kaip jis bandytų, negalima pamiršti Dilano reputacijos — jis garsėjo savo negailestingumu. Britai visuomet naudojosi juo ten, kur nepadėdavo teismas. Jei jis imasi tavęs, tu žuvęs.

Net ir labai norėdamas, Riganas negalėjo įsivaizduoti sau blogesnės lemties: jo kūnu bus patogiai atsikratyta jūroje, o šito jis niekaip negali leisti. Jo galvoje gimė beviltiškas planas ir jis, nespėjęs nė sudvejoti, ėmė veikti. Jis numetė ant žemės padėklą su kavinuku ir puodeliais, o pats suklupo ant kelių.

Po minutėlės pasirodė Hana.

— Kas yra?

— Man žiauriai skauda pilvą. Tikriausiai nuo tų jūrligės tablečių.

Hana priklaupė šalia ir pažiūrėjo.

— Taip blogai?

— Man reikia į tualetą. Dėl Dievo meilės, aš tuoj apsidirbsiu.

Ji pakėlė Riganą ir palydėjo į tualetą. Jis ištiesė rankas.

— Nagi, juk ten nė apsisukti nėra kur. Aš negalėsiu nusismaukt kelnių su tais daikčiukais.

Hana padvejojo, tada išsitraukė raktą, atrakino antrankius ir įstūmė jį vidun. Pati atsirėmė į sieną ir ėmė laukti.

Riganas atsisėdo, giliai įkvėpė, tada atsistojo ir smarkiai pastūmė duris, prispausdamas Haną prie sienos. Tada nubėgo koridoriumi, pasikėlė į denį, pralėkė pro Heleną, išeinančią iš vairinės, ir liuoktelėjo per turėklus. Šaltas kovo vanduo užgniaužė jam kvapą, bet jis sukaupė visas jėgas ir ėmė irtis kranto link.

Hana atbėgo ant denio.

— Prakeikimas, jis apgavo mane. Kokia aš kvaila.

— Visiems pasitaiko. — Helena griebė savo siųstuvą. — Dilanai, ar girdi mane?

Tačiau tarp slėnio ir uolų ryšys buvo prastas, ir atsakymo ji nesulaukė.

Šonas Riganas pasiekė krantą sustiręs į ragą, tačiau negaišdamas laiko puolė bėgti kalnuotu takeliu Kilbego link. Po penkiolikos minučių jis įgriuvo į "Patrioto" užeigą. Prie baro sėdėjo trys vyrai; du iš jų buvo Konolis ir Tomeltis.

Riganas sukniubo ant baro priešais Salivaną. Tomeltis sugriebė jį už plaukų ir kilstelėjo jo galvą.

— Ačiū Dievui, jūs čia. Turime problemų, — iškošė Riganas.

— Tai papasakok man.

Riganas atsisuko ir pamatė ant suoliuko priešais židinį sėdintį Merfį.

— O, Šonai, maniau, kad britai tave laiko Vondsvorte. Kaip tu patekai čia, velniai rautų?

Staiga Riganas suvokė, kad ir čia jo laukia problemos, ir pabandė pasitaisyti.

— Vėliau apie tai, Brendanai. Dilanas čia, Šonas Dilanas. Jis ketina sunaikinti bunkerį.

— Ką tu sakai? — nusistebėjo Merfis. — Bet iš kur jis apie jį sužinojo? Plačiai pražiojai burną, a?

— Brendanai, prašau. Jie paėmė mane iš Vondsvorto. Išpurtė iš manęs viską, ką galėjo.

— Na, nepasakyčiau, kad blogai atrodytum, — įsiterpė Tomeltis.

— Mes atplaukėme laivu. Išmetėme inkarą senojoje prieplaukoje. Man pavyko pabėgti. Laive yra dvi moterys, toji kalė Bernštain iš Specialiojo skyriaus ir dar viena, iš karinės policijos.

— O Dilanas?

— Jis išėjo su kitu vyruku sprogdinti bunkerį. Bandys išeiti pro išėjimą po senąja ferma.

Merfis papurtė galvą.

— Ir iš kur jis žino apie jį?

— Jėzau, Brendanai.

— Ne, tu, Šonai.

Tuo metu tolumoje pasigirdo dundesys. Kelis išbėgo į lauką ir tučtuojau sugrįžo.

— Vienuolynas. Ten kažkas sprogo. Varom?

Merfis nusikeikė.

— Ne. Dabar tai jau laiko švaistymas. — Merfis stumtelėjo Riganą durų link. — Važiuojam į prieplauką.

Po kurio laiko, kai Dilanas jau buvo prie senosios fermos durų, Helenai pavyko susisiekti su juo.

— Dilanai, dėl Dievo meilės.

— Kas yra?

— Nelaimė. Riganas pabėgo. Šoko į vandenį ir nuplaukė kranto link.

— Velniška nesėkmė.

— Tu atsitrauksi?

— Nė už ką. Mes dabar prie išėjimo. Netrukus išeisime. — Jis baigė ryšį.

— Jis neatsitrauks, — tarė Helena Hanai. — Aš nupluk-dysiu į prieplauką valtį. Dabar brangi kiekviena minutė.

— Gal man plaukti, — pasisiūlė Hana.

— Ne šį kartą. Turiu eiti.

Prie durų Dilanas stabtelėjo, nukreipė sustingusį žvilgsnį nuo savo krepšio ir užkabino jį ant spynos.

— Pasilik čia ir lauk manęs, Bili.

Jis atsitraukė, spyna sprogo, ir durys įgriuvo į vidų. Dilanas įpuolė į vidų, išsitraukė dūminę granatą ir parideno ją koridoriumi. Vanduo sumenkino jos veikimą, tačiau Dilanas bėgo toliau. Šį kartą jis išsitraukė kovinę granatą, bet ir šios sprogimas buvo silpnas.

Bilis, stebėdamas jį iš nugaros, sumurmėjo:

— Velniop viską, — jis iškėlė savo kulkosvaidį ir nubėgo paskui Dilaną.

Kai pasigirdo triukšmas, Brosnanas ir O’Nilas vakarieniavo kabinete. Jie čiupo už ginklų ir išbėgo į koridorių. Čia tvyrojo dūmų uždanga ir netrukus pasigirdo silpnas antros granatos sprogimas. Po minutėlės iš dūmų debesio išbėgo Dilanas, ir Brosnanas pašoko sutikti, tačiau Dilanas buvo greitesnis, ir kulkų kruša prikalė Brosnaną prie sienos.

Dilanas priklaupė ant vieno kelio, ir čia iš šešėlio išniro O'Nilas.

— Pričiupau tave, niekše.

Jis kilstelėjo savo AK, bet čia atskubėjo Bilis ir suvarpė O'Nilą į gabalus. Bilis, sunkiai dvasuodamas, suklupo ant grindų, o Dilanas atsistojo.

— Dabar nieko nesakyk, Bili. Tu šaunuolis.

Dilanas išspyrė duris, išėmė iš krepšio penkis blokus semteksų ir įdėjo į juos taimerius. Vieną bloką jis paliko ant grindų ir stumtelėjo Bilį.

— Dink iš čia. Trys minutės. — Bėgdamas jis vieną po kito išmėtė likusius blokus ir taškydamas į šalis vandenį kiek įkabindamas nuskuodė išėjimo link. Vos tik jie pasiekė uolas, už nugarų nugriaudėjo sprogimas.

Likus kelioms sekundėms iki sprogimo, Merfis, Riganas, Kelis, Konolis ir Tomeltis lėkė kaimo keliuku. Pasiekus kelio viršūnę, Merfis tarė Tomelčiui, kuris vairavo mašiną:

— Išjunk variklį.

Jie tylomis nuriedėjo nuo kalvos ir sustojo. Helena Blek, sėdėdama valtyje, nieko neišgirdo.

— Kad man nė šnipšt. Tomelti, tu eik paplūdimiu. Konoli, mudu imsime prieplauką, tik kuo tyliau. — Jis atsisuko į Riganą. — O tu būk ypač atsargus.

Jie pajudėjo. Helena Blek sėdėjo valtyje. Pasigirdo šlamesys. Ji atsisuko su valteriu rankose ir prisimerkė, apakinta prožektoriaus šviesos.

— Na, žinau, kad tu ne Bernštain, nes ją aš atpažinčiau, taigi tikriausiai esi majorė seržantė. — Merfis susiraukė. — Negali būti, Blek? Toji, iš Derio?

— Vaje, pasirodo, turi smegenų.

— Tomelti, — paliepė Merfis. — Eik ir paimk iš jos ginklą. — Jis atsigręžė į Kelį. — Judu su Konoliu nuveskite ją į laivą. Jei ta kalė Bernštain šokinės, pasakyk jai, kad nušausi šią. — Tada pažiūrėjo į Tomeltį. — Tu pasilik čia ir lauk Dilano.

Valtis nuplaukė laivo link.

— O kaip Riganas? — paklausė Tomeltis.

— Koks aš kvailas. Vos nepamiršau, — tarė Merfis. Jis atsisuko į Riganą ir išsitraukė iš kišenės brauningą. — Tu pardavei mus, šūdžiau. Tau pasisekė, kad neturiu daugiau laiko.

Tyliai spragtelėjo brauningas, ir Riganas pūkštelėjo į vandenį.

Hana pro žiūronus stebėjo besiartinančią valtį.

— Ar viskas gerai? — šūktelėjo ji.

— Mes turime jūsų majorę seržantę, ir jai į galvą įremtas pistoletas, — atsišaukė Kelis. — Jei elgsitės neprotingai, nušausiu ją kaip šunį.

— Neklausyk, Hana, daryk tai, ką turi daryti! — sušuko Helena. — Girdėjai sprogimą. Mes pasiekėme savo tikslą. Velniop tuos tipus.

Konolis pistoleto rankena kirto jai per galvą. Helena riktelėjo.

— Aš kalbu rimtai, — pasakė Konolis.

— Gerai. — Hana atsitraukė, spausdama rankoje valterį.

Po minutėlės į laivą įlipo Kelis, jam iš paskos Helena ir Konolis. Jis atėmė iš Hanos valterį.

— Gera mergaitė.

Helena avėjo desantininko batais ir vilkėjo kombinezoną. Dešinėje kišenėje gulėjo 25 kalibro koltas. Šią minutę, tamsoje, ji galėtų išsitraukti jį ir nušauti abu vyrus. Bet ką tai reikštų Dilanui ir Biliui? Ji nutarė palaukti.

Dilanas pamėgino susisiekti su ja siųstuvu, tačiau niekas neatsakė. "Kalnietyje" Kelis užvedė variklius ir nuplukdė laivą į prieplauką. Konolis padėjo jį pririšti. Dilanas su Biliu bėgte nusileido nuo kalvos ir blyškioje mėnulio šviesoje pamatė judantį laivą.

— Jos atplaukė mūsų, — sušvokštė Bilis, gaudydamas orą.

— Atrodo.

Jie priskubėjo prie apšviesto prieplaukos galo ir pamatė, kaip Kelis stumia Haną ir Heleną, įrėmę joms į nugaras ginklus.

Iš šešėlių išlindo Merfis ir Tomeltis.

— Jie nejuokauja, tu išpera. Nori, kad jos mirtų?

— Žinoma, ne, — atsiliepė Dilanas. — Daryk, kaip jis liepia, Bili, dėk ginklą ant žemės.

Bilis pakluso. Merfis užsirūkė.

— Velniai rautų, Dilanai, visuomet žavėjausi tavimi, bet šį kartą tu man kainavai.

— Ne tau, Brendanai, Džekui Foksui.

— Ar čia asmeninis kerštas? — netikėdamas nusijuokė Merfis.

— Nereikėjo tau kištis, Brendanai.

— Ir tau, Dilanai. O dabar abu su draugeliu lipkite į laivą. Mums reikia paieškoti gilesnių vandenų, nes būtent ten jūs ir keliausite.

Dilanas ir Bilis nusileido į denį ir prisijungė prie Helenos ir Hanos, Merfis su Tomelčiu atėjo jiems iš paskos. Kelis stovėjo prie laivo, Konolis priėjo prie visų kitų.

— Žinote, ką?! — tarė Merfis. — Gaila tokių gerų moterų, bet aš ketinu jus visus nužudyti.

Tai sakydamas, jis žiūrėjo į Haną. Helena Blek, stovėjusi šalia vairinės, išsitraukė iš kišenės koltą ir šovė Keliui į pakaušį. Laivas pasviro, ir visi išgriuvo. Konolis pabandė atsistoti, tačiau Helena buvo greitesnė — ji pašoko, nušovė jį, tada susigūžė ir nėrė per bortą į vandenį, išvengdama pavymui paleistų Merfio kulkų.

Tą pačią minutę Dilanas sugriebė Bilį už rankos.

— Šok! — paliepė jis ir stumtelėjo Bilį per bortą paskui Heleną. Dilanas buvo beketinąs pats šokti, bet čia vis dar ant žemės gulintis Tomeltis sučiupo jį už kojų, ir Dilanas pargriuvo.

— Tu, šūdžiau, — Merfis spyrė jam į šoną. — Tu lavonas, Dilanai, tu, kale, taip pat. Tiedu vandenyje niekur nedings. Penkiolika minučių šiuo metų laiku, ir jiems prasidės hipotermija. Jums bent jau nereikės taip ilgai laukti.

Bilis, plūduriuodamas šalia Helenos už kairiojo borto, tarė jai:

— Aš pamėginsiu paimti tą ginklą iš vairinės.

Nelaukdamas atsakymo, jis panėrė šalia kairiojo borto, nusibrozdindamas nugarą į kilį, ir išnėrė prie laivagalio. Jis tylomis prisitraukė prie borto, įsliūkino į vairinę ir spėjo nugirsti Dilano ir Merfio pokalbį. Bilis nė neįtarė, kad Dilanas, žiūrėdamas pro Merfį ir Tomeltį, mato jį.

— Nagi, Brendanai, kam tos kalbos? Senais laikais Deryje mes nekalbėdavome apie tai, mes veikdavome.

Bilis priklaupė, atidarė skydelį, griebė užtaisytą ginklą ir atsisukęs dukart iššovė Tomelčiui į nugarą.

Merfis apstulbęs puolė bėgti, bet čia Hana spyrė jam į koją, ir jis suklupo. Tuo pasinaudojo Dilanas. Jis pasigriebė ginklą ir užgriuvo Merfį.

— Ką dabar pasakysi, šunie?

Dilanas smarkiai pastūmė Merfį, ir jie abu susvirduliavę persirito per bortą į vandenį.

Jūra patyrusiam nardytojui Dilanui buvo it antrieji namai, ko nebuvo galima pasakyti apie Merfį. Jie paniro į maždaug dešimties pėdų gylį. Dilanas sugriebė Merfį už gerklės, bet staiga nugara pajuto inkaro grandinę. Dešiniąja ranka jis čiupo grandinę ir stipriai įsikabino. Merfis spardėsi ir muistėsi, tačiau Dilanas nė už ką nepaleido jo. Pagaliau Merfis liovėsi kovojęs. Dilanas paleido jį ir išniro į paviršių.

Jis sunkiai prišliaužė prie kopėtėlių ir sukniubo ant jų. Hana persilenkė per turėklus.

— Kaip tu, Dilanai? Kas atsitiko Merfiui?

Jis užsiropštė į denį.

— O kaip tu manai? Kaip sako siciliečiai, Brendanas Merfis nuėjo pogulio pas žuvis.

Jis atsisėdo ant žemės nugara į vairinę. Priėjo Bilis ir Helena.

— Kaip jūs, majore seržante?

— Sveika ir gyva, pone Dilanai.

— O tu, Bili?

— Į kokį mėšlą tu mane įtraukei, Dilanai?

— Bili, tu išgelbėjai man gyvybę, kalbant senamadiškomis frazėmis. Tu buvai nepakartojamas. Specialioji oro tarnyba nebūtų susitvarkiusi geriau. Be to, sukėlei inspektorei Bernštain rimtą problemą. Pasistenk, kad tavęs nesuimtų, nes ji pasijustų siaubingai kalta, jeigu jai tektų tai padaryti.

Bilis nusišaipė ir atsisuko į Haną.
— Ką man daryti? Gerą darbą?
— Tiesiog nekelk man daugiau rūpesčių, Bili.
— Taip jau atsitiko, kad aš visą gyvenimą tik tai ir darau.
— Išmeskime kūnus, — tarė Dilanas. — Ir padarykite man paslaugą, majore seržante, — išvairuokite laivą. Aš skubiai persirengsiu ir pakeisiu jus.
— Palikite tai man.
— Nagi, judu, eime, — atsisuko jis į Haną ir Bilį. — Paieškokime sausų drabužių, — ir jis nusileido į apačią.

Čarlis Fergiusonas buvo savo namuose Kavendiš aikštėje ir mėgavosi taurele prieš miegą, kai suskambo telefonas. Dilanas stovėjo prie vairo vienas, visi kiti buvo apačioje. Įplaukęs į Airių jūrą, jis įjungė autopilotą ir kalbėdamas užsirūkė.
— Ar čia jūs, brigadininke?
— Dilanai! Kur tu?
— Pakeliui atgal į Obaną. — Dilanas naudojosi koduotu telefonu. — Galime drąsiai kalbėtis.
— Kaip pavyko?
— Na, Kilbego bunkerio nebėra, o majorė seržantė pasirodė esanti tikras lobis. Nužudė du iš Merfio gaujos. Bilis išgelbėjo mūsų kailius, pasirodęs pačiu laiku.
— Dieve šventas! Ar visi sveiki?
— Sveikutėlaičiai. Mes kieta liaudis, brigadininke.
— Ačiū Dievui. O Merfis?
— O, juo aš pats pasirūpinau.
— Aš tuo nė kiek neabejoju. Kokie tolesni planai?
— Manau, kad Obane būsime po kokių šešių valandų. Oras nelabai koks. Ar galėtum paprašyti Leisio ir Perio, kad maždaug pusryčių metu parskraidintų mus į Londoną?
— Manyk, kad tai jau padaryta.
— Kaip Bleikas?
— Pooperacinė infekcija. Dezas ir Marta rūpinasi juo.
— Tai gerai. Foksas pašiurps, išgirdęs paskutines naujienas.
— Puikiai parinkai žodžius, Dilanai, man tai patinka. Iki rytojaus.

Dilanas sėdėjo prie vairo, kai prasivėrė durys ir kartu su kumpio kvapu įslinko Bilis, nešinas lėkšte sumuštinių ir dideliu puodeliu arbatos.

— Prašom, Šonai.

Bilis pasisuko išeiti, ir Dilanas tarė:

— Bili, tu šaunuolis. Haris didžiuosis tavimi.

— Taip, bet jis nesupras, ar ne? Noriu pasakyti, niekas nesupras, nebent pats tai būtų patyręs savo kailiu, tiesa? Jėzau, Dilanai, tai nebuvo koks apsikumščiavimas Londono aludėje. Šįvakar nužudžiau du žmones.

— Jų ten nebūtų buvę, Bili, jei nebūtų norėję rizikuoti. Nepamiršk to.

— Taip, galbūt. Tai dabar kas — broliai Džago ir Foksas?

— Manyčiau, kad taip. — Dilanas suvalgė paskutinį sumuštinį. — Eik, Bili, pamiegok. Tu to nusipelnei.

Bilis išėjo, o Dilanas perjungė valdymą iš automatinio į rankinį ir pasuko “Kalnietį” skersai vis labiau nerimstančios jūros.

LONDONAS

13

Džekas Foksas nusileido į viešbučio restoraną pasimėgauti angliškais pusryčiais. Sklaidydamas "The Times", jis jau buvo bebaigiąs gausius pusryčius, kai šalia išdygo Falkonė.

— Turime problemų, sinjore.

— Kas dabar? — pakėlė galvą Foksas.

— Ką tik žiūrėjau "Skai" televizijos programą. Manau, kad jums pačiam derėtų pažiūrėti.

— Taip blogai? — sunerimo Foksas.

— Bijau, kad taip, sinjore.

Savo kambaryje Foksas pasibaisėjęs išklausė naujausias žinias. Valandos tema buvo galingas sprogimas Kilbege, Laufo grafystėje. Kadruose pasimatė airių policija, reporteriai bandė tai susieti su ARK, nors pati ARK ir Sinas Feinas viską paneigė. Viena buvo visiškai aišku — jūra išmetė į pakrantę keturių žmonių kūnus. Trys iš jų buvo mirę nuo šautinių žaizdų. Ketvirtasis buvo Brendanas Merfis, gerai žinomas disidentas, palikęs ARK provizionistus ir suformavęs savą grupę. Reporteriai iškėlė prielaidą, kad provizionistai pašalino savo žmones. Manoma, jog sprogimas kilo ginklų bunkeryje. Įvykis tiriamas.

Pasigirdo skambutis į duris. Ruso nuėjo jų atidaryti ir netrukus sugrįžo su padavėju, atnešusiu jiems karštos kavos. Padavėjui pasišalinus, Ruso įpylė visiems kavos.

— Merfis buvo jums skolingas, sinjore, — tarė Falkonė.

— Ką gi, dabar gali pabučiuoti arkliui į... — burbtelėjo Foksas.

— Prašau man atleisti, jei peržengiu ribas, sinjore, bet aš tiek metų buvau ištikimas jums, kad jaučiuosi turįs teisę paklausti: ar labai prasti popieriai?

Foksas pažiūrėjo į jį.

— Pakankamai prasti, Aldo. Bet mes dar turime vieną tūzą rankovėje. Baltojo deimanto kompanijos apiplėšimas antradienį.

— Sakėte, ten dešimt milijonų svarų.

— Iš kurių keturi pažadėti Džago. — Foksas šyptelėjo. — Ir su tuo tu nesutikai.

— Ir nesutinku, sinjore. Manyčiau, kad mes turime pasiimti viską.

— Pradedu sutikti, Aldo, bet mes tai padarysime vėliau. Leiskime tiems niekšeliams atlikti juodą darbą.

Falkonė plačiai nusišypsojo.

— Nuostabu, sinjore.

— Gerai, susisiek su broliais Džago. Noriu pasimatyti su jais per pietus. Parink kokią ramią vietelę.

— Bus padaryta, sinjore.

Falkonė išėjo vykdyti paliepimų, tačiau pirmiausia paskambino Donui Marko, kuris dėl laiko skirtumo dar tebebuvo lovoje, bet Falkonei buvo galima skambinti bet kuriuo metu. Donas kantriai išklausė jį.

Pagaliau jis tarė:

— Vėl susikniso tas mano sūnėnas. Susikniso su Koliziejumi, tada Al Šarize, dabar Airijoje. Žinai, kaip sakoma, Aldo? Vienas kartas — nieko tokio, du kartai — sutapimas, trys kartai — priešo veiksmai.

— Tai ką darysime, Donai Marko?

— Nieko. Tai Džeko problema. Arba jam pasiseks, arba jis žlugs. Bet jei jis žlugs... Suprask mane, Aldo. Aš niekada jam nepadarysiu nieko blogo. Jis mano sūnėnas. Bet mano šeimai reikia vadovo, kuriuo galėtume pasitikėti. Tas reikalas su deimantais yra jo paskutinis šansas. Jei ir šis neišdegs... Džeką teks pašalinti. Capisce?

— Capisco, Donai Marko.

Haroldas ir Tonis Džago laukė "Kavaleristų" užeigos bare, esančiame netoli Sent Ričardso doko. Upę gaubė migla, už langų krapnojo smulkus lietus.

Haroldas pažvelgė pro langą.

— Man patinka toks oras, Toni, ir Temzė. Anglija anglams, ar ne? Kam reikalinga Europa? Ta varlių ir kopūstų krūva.

— Tu teisus, Haroldai. Bet nepamiršk, kad šiuo metu mes įklimpę su ta suknista mafija.

— Ji manęs nejaudina. Mes susitvarkysime su jais. — Tą minutę pro duris įžengė Mančesteris Čarlis Fordas, lydimas Ambero Freizerio.

— O varge, jie jau ateina, — tarė Haroldas. — Na ir pora. Man tai kas, jei jiems geriau tarpusavyje nei su moterimis, bet man nepatinka juodukai. Per juos vienos bėdos.

Fordas padėjo ant stalo bylą.

— Viskuo pasirūpinta, Haroldai.

— Gerai. Palaukime Fokso. Ką gersite?

Rouzdene Bleikas jautėsi kur kas geriau. Pamatęs įeinančius Dilaną su Helena, jis gyvai pasisveikino.

— Mileris man viską papasakojo. Mes žiūrėjome “Skai” televiziją. Tu tikrai pasistengei.

— Taigi dabar lieka tik Baltojo deimanto kompanija.

— Ei, tik šį kartą nepalik manęs, Dilanai. Noriu dalyvauti.

— Tu negali, nes aš irgi nedalyvauju, Bernštain ir Fergiusonas taip pat nesikiš. Viską atidavėme į Hario Solterio rankas. Mes nekišime nosies.

— Gerai, bet aš vis tiek negaliu čia sėdėti. Man reikia būti su jumis.

— Puiku. Jei Dezas paleis tave, aš nieko prieš.

Dezas sutiko išleisti Bleiką su sąlyga, kad šis nesiims jokios fizinės veiklos, ir dar prieš vidurdienį jie pasirodė Gynybos ministerijoje pas Fergiusoną. Bleiko ranka buvo įtvare. Fergiusono kabinete sėdėjo Hana.

— Turbūt nereikia nė sakyti, kad puikiai pasidarbavai. Tačiau mums dar liko įkalti paskutinę vinį į Fokso karstą. Ką darysime toliau, inspektore?

— Tiesą sakant, Solteriai su manimi nesikalba. Viskas priklauso nuo Dilano.

— Pasak Roperio, rytoj lemiama diena, nes deimantų kompanija gauna krovinį.

— Mes žinome, kad jie išpjovė senąsias grotas tunelyje, — tarė Hana. — Bet vis dar nežinome, kaip jie ketina apgauti apsauginę sistemą.

— Dėl to ir ruošiausi eiti pasimatyti su Hariu Solteriu, — tarė Dilanas. — Pasiimsiu Bleiką. Tu, Hana, nesikišk. Žinau, kaip tau nepatinka naudotis tokiais niekadėjais kaip Solteris, ir aš visai nenoriu įžeisti tavo tyros policininkės moralės.

"Kavaleristuose" Haroldas perskaitė bylą ir pastūmė ją Toniui.

— Tai ne tik gerai, tai velniškai gerai. — Tuo momentu į barą įėjo Foksas, Falkonė ir Ruso. Haroldas atsistojo. — Džiugu jus matyti. Mes ką tik baigėme svarstyti reikalus. — Jie susėdo, tik Falkonė ir Ruso kaip paprastai atsistojo palei sieną.

— Ir kaip tie reikalai? — dalykiškai pasiteiravo Foksas.

— Jūsų byla it pienas su medumi, — išsišiepė Haroldas, — bet Čarlis kai ką patikslino — tai jums nepaprastai patiks.

— Pasakok.

Išklausęs Foksas linktelėjo.

— Puiku. Yra tik vienas pasikeitimas. Man ką tik pranešė, kad bus daugiau nei dešimt milijonų — manoma, apie dvylika. Taigi dar daugiau kiekvienam, Džago. Nepasišiukšlinkit, žmonės.

— Gali nesijaudinti, Džekai, — užtikrino jį Haroldas.

Foksas pakilo eiti.

— Aš jūsų rankose. Jūs specialistai, taigi mes nesikišame. Informuokit mane.

Jis išėjo, Falkonė ir Ruso išsekė paskui.

— Taigi mes atliksime visą mėšliną darbą, — suburbėjo Tonis Džago.

— Nieko tokio, — nuramino jį Haroldas. — Už tokį užmokestį aš su džiaugsmu tai padarysiu.

Kartu su Dilanu ir Bleiku į "Tamsos žmogų" atėjo ir Fergiusonas. Solteris ir Bilis buvo prie paskutinio staliuko. Dora maitino juos "Aviganio" apkepu.

— Skaniai kvepia, — tarė Fergiusonas. — Primena man Itoną. Mes valgysime tą patį. Bleikui reikia atgauti jėgas.

— Bleikas atrodo siaubingai, — pastebėjo Solteris.

— Ar žiūrėjai “Skai”, Bili? — paklausė Dilanas. — Koks kraupus atsitikimas Airijoje. Išsprogdintas bunkeris, vandenyje plūduriuojantys kūnai, kurių vienas priklauso tokiam kietuoliui Brendanui Merfiui. Visi tiki, kad tai provizionistų darbas. Nes jis nesielgė taip, kaip jam buvo liepta.

— Taip, mačiau, — atsiliepė Bilis. — Baisu, kas ten darosi.

Dora atnešė jiems valgyti, ir Dilanas nusijuokė.

— Jis puikiai pasidarbavo, tas tavo berniukas, Hari. Išgelbėjo man gyvybę, nušaudamas vieną bunkeryje, ir visus, nušaudamas antrą laive.

Solteris apstulbo. Jis pažiūrėjo į Bilį.

— Tu man nieko nesakei.

— A, tu niekada netiki tuo, ką aš sakau.

— Dieve mano, vis dėlto obuolys nuo obels netoli rieda.

— Sakyčiau, kad jis jau atskira obelis, — tarė Fergiusonas, pradėdamas valgyti. — Roperis įsitikinęs, kad viskas vyks rytoj. Iš Pietų Afrikos į Baltojo deimanto kompaniją atgabenamas didelis krovinys. Ir sako, kad jo vertė didesnė — dvylika, o ne dešimt milijonų.

— Tikrai? — tarstelėjo Solteris. — Tada man jų gaila.

— Kodėl?

— Jis per didelis, brigadininke. Aš nesu išsilavinęs, vadovaujuosi patirtimi, ir niekas nežino daugiau apie Londono nusikaltėlių pasaulį ir vagystes nei aš. Didysis Londono traukinio apiplėšimas neišdegė todėl, kad buvo per didelis. Didžiausias visų laikų išpuolis. Visuomenė ir įstatymai jokiu būdu negalėjo toleruoti to, todėl ir pasiuntė visą armiją.

— Tu teisus, — sutiko Fergiusonas.

— Taip, bet Džekas Foksas gilioje neviltyje. Jam to reikia. Jam reikia didelio.

— Kurgi ne, o Mančesteris Čarlis Fordas ir jo komanda tokie gobšuoliai ir kvaili, kad nespės nė apsidairyti, o jau sėdės Vondsvorte, — tarė Solteris.

Dilanas baigė valgyti ir paėmė taurę šampano, kurią Dora paslaugiai pakišo jam po alkūne.

— Pakartokime viską dar kartą, Hari. Vis dėlto jie turi Mančesterį Čarlį Fordą, vieną geriausių spynų ir seifų specialistų; sunkiasvorį Amberą Freizerį ir Konį Brigsą, elektronikos ir apsaugos sistemų žinovą.

— Ar žinai, kad jis mokėsi Londono universitetete? — paklausė Solteris. — Jis iš žinomos sukčių šeimos. Motina labai didžiavosi juo. Jis net laipsnį gavo. Kažkokį ten pirmos klasės diplomą su pagyrimu.

— Čia tai bent, — nusistebėjo Fergiusonas.

— Jie iškėlė didelį pobūvį. Ir aš jame buvau. Vėliau gavo darbą Britų telekome, bet nelabai gerai mokamą, tai kaip manot, ką jis sugalvojo? Pakeitė kursą.

— Jis iš tiesų elektronikos genijus, Dilanai, — pritarė Bilis.

— Pradedu tuo tikėti. O kaip Velas Frenčas?

— O, jis terminio pjaustymo meistras — viską supjaustytų. Manau, kad tai jis perpjovė grotas ir įsilaužė į tunelį.

Jie baigė valgyti, Dora nurinko lėkštes. Bleikas prakaitavo, jo kakta net blizgėjo nuo drėgmės. Jis blogai atrodė.

— Atnešk jam brendžio, Dora, — paliepė Solteris. — Tu nekaip atrodai, sūnau.

— Būdavo ir blogiau, — atsiliepė Bleikas. — Bet vis tiek ačiū. — Jis padvejojo. — Dėl padorumo kažkas turėtų tai pasakyti, todėl pasakysiu aš. Kaip manote, ar nereikėtų įspėti Baltojo deimanto kompaniją apie galimas problemas, brigadininke?

— Suprantu, ką nori pasakyti, Bleikai. Bet čia ne vieta etikai.

— Mes ketiname pribaigti Džeką Foksą. — Dilano balsas buvo negailestingas. — Viskas gerai, kas žlugdo jo planus.

— Gerai, gerai, — numojo ranka Bleikas. — Aš tik užsiminiau. Ir kad jau kalbame apie tai, ką manome mes, — tai kaip jie ketina patekti į vidų?

— Na, čia jau ne pjaustytojo kompetencija, — tarė Dilanas. — Jam tektų plušėti visą naktį. Manyčiau, tai bus elektronikos žinovo darbas.

— Ir aš taip manau, — pritarė Haris. — Bet mums tai nieko neduoda.

Stojo tyla. Pirmasis prabilo Bilis.

— Mums reikia daugiau informacijos, o vienintelis būdas ją gauti — sučiupti kurį nors iš komandos ir viską iš jo išspausti.

Haris nusikvatojo.

— Tu tikrai greitai mokaisi. Ir ką tokį siūlai? Tą, kuris mažiausiai svarbus ir jo nebuvimas nesukeltų įtarimo?

— Sunkiasvorį Amberą Freizerį, — tarė Dilanas.

— Ir aš taip manyčiau.

— Nepakartojama. — Haris Solteris atsisuko į Fergiusoną. — Imsime jį šiąnakt. Palikite tai mums. Tada atgabensime jį į jūsų slaptąjį namą Olandų parke ir žiūrėsime, ką pavyks išgauti.

— Tai, žinoma, nelegalu, — tarė Fergiusonas. — Jis nieko nepadarė.

— Dar ne, — šyptelėjo Dilanas. — Bet esu tikras, kad tu ką nors sugalvosi. Juk pagaliau ar ne todėl mes neatsivedėme inspektorės?

— Taip, tu teisus. Viskas tavo rankose, Hari. Ar galiu vadinti tave Hariu?

— Galite vadinti mane kaip tik norite.

— Puiku, ir jei tavo Dora galėtų atnešti kokio nors raudonojo vyno taurę, išgerčiau ją į tavo sveikatą ir nešdinčiausi sau, — pasakė Fergiusonas.

Buvo dešimta valanda vakaro, kai Amberas Freizeris ir Mančesteris Čarlis Fordas išniro iš mažo italų restoranėlio Noting Hile. Haris ir Bilis jau senokai tykojo jų automobilyje. Fordas sustabdė taksi, patapšnojo Amberui per veidą ir įsėdo.

— Nuostabu, — sumurmėjo Bilis, kai Amberas apsisuko ir patraukė gatve.

Jie pasekė jį, aplenkė ir sustojo šiek tiek tolėliau. Haris Solteris išlipo iš mašinos.

— Amberai, sūnau, taip ir maniau, kad čia tu.

— O Dieve, Hari, ką tu čia veiki?

— Ieškau tavęs, taigi lįsk vidun.

Amberas išsigandęs pabandė sprukti, bet Solteris įrėmė jam į nugarą vamzdį.

— Ar tai ginklas, Hari?

— Aišku, kad ne mano pirštas. Taip, ginklas, ir su duslintuvu. Galiu suskaldyti tau stuburą, palikti ant šaligatvio ir nuvažiuoti — niekas nieko negirdės. Sėsk į mašiną.

Amberas pakluso. Haris atsisėdo jam už nugaros ir pasiruošė ginklą.

— Paklausyk, Amberai. Žinau, kad esi linkęs manyti esąs vos ne Maikas Taisonas ir turi didelius raumenis, tačiau tai nepadės, kai gulėsi su kulka pilve. Todėl daryk, kaip sakau.

— Labas vakaras, Amberai, — pasisveikino Bilis ir nuvažiavo.

Po kurio laiko Amberas jau sėdėjo slėptuvėje svarstydamas, kas gi, po galais, vyksta. Mileris stovėjo prie durų. Netrukus jos atsidarė, ir įėjo Dilanas, Helena ir Haris Solteris.

— Ko jūs norite iš manęs? — Amberas net pašoko.

Dilanas skaudžiai spyrė jam į dešiniąją kulkšnį.

— Sėsk.

— Ar tai jis, pone Solteri? — paklausė Helena.

— Be jokios abejonės. Jis susijęs su žinoma nusikaltėlių gauja: Čarliu Fordu, Velu Frenču, Koniu Brigsu. Kiek žinau, rytoj vakare jie ketina apiplėšti Baltojo deimanto kompaniją, nes ši gauna labai didelį krovinį iš Pietų Afrikos. Ir dar žinau, kad su tuo susijusi mafija, konkrečiai — toks Džekas Foksas.

Amberas sunerimo.

— Ei, ką čia kalbi? Aš nieko nežinau.

Dilanas atsisuko į Heleną.

— Jei tas mulkis ir prasmuks, jis vis tiek teisiškai bus dalis nusikaltimo, ar ne?

— Jūs visiškai teisus.

— Ir kokia jam būtų skirta bausmė?

— Mažiausiai dešimt metų.

Ambero veidu žliaugte žliaugė prakaitas.

— Paklausykit, dėl Dievo...

— Ne, dėl savęs, — atrėžė Solteris.

Stojo tyla. Tada Helena Blek tarė:

— Jei padėsite mums, po kelių dienų jus paleisime ir įsodinsime į Barbadoso lėktuvą.

— O jei ne, pasodinsime į Vondsvortą, — pridūrė Dilanas.

Freizeris jau buvo atsėdėjęs keletą bjaurių metų Vondsvorte ir visiškai netroško ten sugrįžti. Jis myli Čarlį, bet... Čarlis gali pats pasirūpinti savimi.

— Gerai. — Amberas išsitraukė nosinę ir nusišluostė prakaituotą veidą. — Duokite man išgerti. — Helena linktelėjo Mileriui, ir šis nuėjęs įpylė didelį stiklą škotiško viskio. Amberas ištuštino jį vienu mauku. — Gerai, ką norite sužinoti?

Kitoje veidrodžio pusėje stovėjo Fergiusonas, Hana, Bleikas ir Bilis.

— Gera pradžia, — tarė Fergiusonas.

— Priklauso nuo to, ko jūs siekiate, sere.

— Aš siekiu rezultato. Man, kaip ir daugumai kitų šiomis dienomis, inspektore, jau bloga nuo tų vis išsisukančių blogiečių, kaip pasakytų mūsų pusbroliai amerikiečiai. Karas yra karas, o tai yra irgi tam tikras karas. Jei jūsų tai netenkina, grįžkite į nuovadą.

— Tai nebūtina, sere.

— Tikiuosi.

Apklausos kambaryje Solteris kalbėjo:

— Taigi, Amberai. Mančesteris Čarlis Fordas, tu, Konis ir Velas ruošiatės imti Baltojo deimanto kompaniją Džeko Fokso užsakymu. Mes žinome, kad jūs jau nupjovėte grotas tunelyje nuo upės pusės.

Amberas apstulbo.

— Iš kur jūs tai žinote?

— Mes žinome viską, sūnau.

Dilanas atsirėmė į sieną ir užsirūkė. Pasakojimą tęsė Helena.

— Vartai atviri, jūs einate tuneliu, išmušate skylę senoje plytų sienoje ir patenkate į Baltojo deimanto kompanijos rūsius.

— Mums tik neaišku, sūnau, kaip jūs ruošiatės viską atlikti, — įsiterpė Solteris. — Turiu galvoje apsaugos sistemas, signalizaciją ir visa kita.

Amberas tylėjo.

— Laiko švaistymas, — tarė Dilanas. — Siųskite jį į Vondsvortą ir apkaltinkite nusikaltimo slėpimu.

— Kaip pasakysite, sere, — sutiko Helena.

— Ne, dėl Dievo, aš pasakysiu, — neišlaikė Amberas. —

Duokite man dar viskio. — Mileris atnešė jam dar vieną stiklą. Amberas ir jį išrijo vienu gurkšniu. — Gerai, ką norite sužinoti?

— Pirmiausia apie apsauginius.

— Jokių problemų. Šeštą valandą jis perima budėjimą iš kito vyruko. Jis visuomet eina nusipirkti kavos ir dėžę sumuštinių į parduotuvę gatvės gale. Čarlis pažįsta ten tokią merginą. Ji įdės jam į kavą porą piliulių. Jos suveikia ne iš karto, bet kai suveikia, žmogus išsijungia trims ar keturioms valandoms.

— Bet kaip su apsaugine sistema? — pasiteiravo Helena.

— Čia jau Konio Brigso darbas. Jis elektronikos genijus. Jis turi tokį daikčiuką, kurį įjungus sutrinka visos elektroninės sistemos tam tikrame plote. Vaizdo kameros, vartų užraktai, saugyklos — viskas.

— O varge! — išsižiojo Helena. — Negaliu tuo patikėti.

— Na žinoma! — šūktelėjo Dilanas. — Koks aš asilas! Esu matęs tokių daikčiukų. Jie tikrai padeda, patikėk manim. — Jis pažiūrėjo į Amberą. — Tai viskas iš tiesų rytoj vakare?

Amberas linktelėjo.

— Septintą valandą. Nutarta veikti kuo anksčiau, nes paskui pakyla vanduo.

— Ar Foksas irgi bus ten? — paklausė Dilanas.

— Jokiu būdu. Viskas palikta mums ir Džago.

Į kambarį įėjo Fergiusonas, Bilis, Hana ir Bleikas.

— Dėkoju, majore seržante, — tarė brigadininkas. — Išveskite jį ir pasirūpinkite apsauga.

Helena ir Mileris paėmė Amberą už parankių ir išsivedė.

— Taigi dabar jau žinome viską, — tarė Bleikas.

— Gaila, kad Foksas nedalyvaus, — pasakė Hana.

— Suprantama, — atsiliepė Dilanas. — Jis per daug atsargus, kad tiesiogiai veltųsi į tokį reikalą. Mums yra svarbiausia sukliudyti apiplėšimui ir susemti gaują, įskaitant ir brolius Džago. Fokso didelio grobio viltys bus sužlugdytos.

— Paskutinės viltys, — pridūrė Bleikas.

— Būtent, — linktelėjo Dilanas. — Koks mūsų planas?

— Aš kai ką sugalvojau, — prabilo Haris Solteris. — Manasis Džo, Džo Baksteris, per penkerius metus Armlėjaus kalėjime praėjo gerą mokymo programą — suvirinimo darbai ir visa kita.

— Ką tu siūlai? — paklausė Fergiusonas.

— Na, aš daryčiau taip, brigadininke, — ir Haris Solteris papasakojo jam savo planą.

Visiems išklausius, Fergiusonas nusikvatojo.

— Dieve mano, tai geriausia, ką kada nors esu girdėjęs.

14

Foksas sėdėjo Dorčesterio viešbučio “Pianino” bare ir mėgavosi lengvais priešpiečiais — makaronais grietinėlės ir kumpio padaže — taip, kaip jis mėgo. Padavėjas įpylė jam taurę šampano, bet tuo momentu priėjo Falkonė.

— Buvau Koliziejuje, sinjore. Moris atleido didesnę dalį darbuotojų. Paliko tik Rosį ir Kamečę.

— Žinau. Tas prakeiktas Fergiusonas. Ar yra žinių iš Fordo?

— Ne, sinjore.

— Šiandien lemiama diena, Aldo. Laimėk arba žūk.

“Kad tu žinotum, kaip tau reikia laimėti”, — pagalvojo Falkonė.

Mančesteris Čarlis Fordas laukė Ambero priešpiečiams, bet kai šis nepasirodė, Fordas paskambino jam į mobilųjį telefoną. Skambutis sučirškė Olandų parko namuose. Helena Blek linktelėjo, ir kai Amberas atsiliepė, Mileris atsistojo jam už nugaros.

— Ei, kur esi? — piktai paklausė Čarlis.

— Atleisk, Čarli, — sumurmėjo Amberas. — Man siaubingai skauda dantį. Ką tik šiaip ne taip susiradau dantistą, kuris sutiko priimti mane.

— Vargšelis. Gerai, tada pasimatysime vakare.

— Net nežinau, Čarli. Gali atsitikti taip, kad iškrisiu iš rikiuotės.

Stojo trumpa pauzė.

— Ką gi, manau, kad susidorosime ir vieni, jei teks. Aš, Tonis ir Haroldas. Bet ateik, jei galėsi, gerai, Amberai?

— Pasistengsiu, Čarli.

— Būtinai pasistenk, brangusis. Sveik.

Amberas išjungė telefoną ir pažiūrėjo į Heleną Blek.

— Ar gerai?

— Tau reikėtų vaidinti teatre, Amberai.

Jis kažkodėl staiga pasipūtė.

— Jūs tikrai taip manote?

— Be jokios abejonės. Ten kur kas geriau nei kalėjime. Gal tau geriau negrįžti į Barbadosą, o pasirūpinti stipendija ir stoti į Londono teatro mokyklą.

Fokso viešbučio kambaryje vyko galutinis pasitarimas: čia buvo broliai Džago, Fordas, Brigsas ir Frenčas. Falkonė ir Ruso irgi dalyvavo. Foksas linktelėjo Ruso, kuris ištraukė iš krepšio butelį šampano ir iššovė.

Foksas kilstelėjo savo taurę ir pasakė tostą:

— Už didįjį reikalą. Visi liks sėdėti išsižioję. — Jis atsisuko į Fordą. — Visur tvarka?

— Amberas tikriausiai neateis. Jam kažkokia danties infekcija. Skambino iš dantisto.

— Mums juočkis nereikalingas, — įsikišo Tonis Džago. — Patys susidorosime.

— Jūs geriau žinote, — linktelėjo Foksas.

— Tai jūs tikrai neprisidėsite prie mūsų? — paklausė Tonis.

— Nejuokauk. Tunelis pasidarytų per ankštas.

— Bet jūs nieko prieš prisidėti, kai dalysimės laimikį.

Falkonė tučtuojau įsitempė, bet čia įsikišo Haroldas.

— Užčiaupk savo srėbtuvę, — tarė jis broliui, — arba tuoj gausi. — Jis pažiūrėjo į Foksą. — Nepykit. Jis jaunas.

— Ką gi, mes visi kažkada tokie buvome, — šyptelėjo Džekas. — Nagi, dar po taurę burbuliukų, o tada, kaip airiai sako, "Dieve, padėk geram darbui".

Buvo šešios vakaro, kai Dilanas paskambino prie Hanos durų.

— Fergiusonas kviečia visus pas save palaukti ir pažiūrėti, kaip viskas baigsis. Aš atvažiavau daimleriu.

— Tik pasiimsiu paltą.

Ji pasirodė po kelių minučių. Dilanas atidarė jai dureles,

ir Hana atsisėdo už vairuotojo. Dilanas kyštelėjo ranką pro atvirą langą ir paplekšnojo vairuotojui per petį.

— Nuvežk vyresniąją inspektorę pas brigadininką Fergiusoną. — Jis nusišypsojo Hanai. — Pasimatysime vėliau. Aš dar turiu kai ką padaryti.

Hana nustebusi prasižiojo, bet daimleris pajudėjo greičiau, nei ji spėjo ką nors pasakyti.

Šalia brolių Džago namų Vopinge sustojo didelis baltas sunkvežimis su užrašu "ELITINIAI STATINIAI".

Už vairo sėdėjo Fordas, vilkintis statybininko kombinezoną, šalia jo buvo Brigsas, o už jų — Frenčas. Atsidarė namo durys, ir pro jas išniro broliai Haroldas ir Tonis. Jiedu irgi atsisėdo gale.

— Lemiamas momentas, vyrai, — tarė Haroldas. — Pradedam.

Tuo pačiu metu naktinis sargas Baltojo deimanto kompanijoje baigė valgyti savo sumuštinius su kava ir įsitaisė paskaityti laikraštį. Akys kažkodėl vis merkėsi; jis nusižiovavo, padėjo į šoną laikraštį ir patikrino ekranus. Viskas atrodė normalu. Staiga jis užsikniaubė ant stalo, pasidėjo ant rankų galvą ir užmigo.

Tunelyje Fordas ir Frenčas ėmė atakuoti kūjais sieną. Sena Viktorijos laikų siena netrukus pasidavė.

— Nuostabu, — tarė Fordas. — Ką gi, ponai, prašom vidun.

Visi sulindo vidun.

— Kas toliau? — paklausė Haroldas Džago.

— Potvynis prasidėjo prieš penkiolika minučių. Mes turime keturiasdešimt minučių. Vėliau įėjimas į tunelį bus uždarytas.

— Tada varom, velniai rautų, — paragino Haroldas.

Konis Brigsas išsitraukė iš krepšio daikčiuką, primenantį televizoriaus nuotolinio valdymo pultą.

— "Hauleris", — tarė jis ir paspaudė mygtuką.

— Ir viskas? — nustebo Tonis Džago.

— Na, jei ne, tada viršuje mūsų laukia tikras pragaras. O jei suveiks, visos sistemos "užtrumpins" ir durys atsidarys. Eikime ir pamatysime.

Dilanas, Solteriai, Džo Baksteris ir Semas Holas išlipo iš tranzito. Baksteris ir Holas nešėsi didžiulius drobinius kelionmaišius. Bleikas išsikrapštė paskutinis.

— Paklausyk, sūnau, geriau lik mašinoje. Tu tam dar nepasiruošęs, — tarė Haris Solteris.

— Ne, man tai svarbu. Foksas nužudė mano žmoną, Hari. Noriu būti ten, kai jis pagaliau atsiims savo. Jei pasiseks, mes jį pribaigsime.

Kad ir kaip būtų keista, jį užtarė Bilis.

— Jis turi teisę. Leisk jam dalyvauti.

— O tu pasikeitei, vaikėze.

— Tu velniškai teisus, Hari, — pasakė Dilanas. — Jis nužudė du žmones, be to, vykdydamas teisingumą. Nieko neprikiši.

— Gerai, tada eime, — tarė Solteris.

Jis pirmasis ėmė leisti laiptais ir pasuko tunelio įėjimo link. Priėjęs atsisuko į Bilį.

— Tu kalbėjaisi su Hendžiu. Kiek mes turime laiko?

— Trisdešimt minučių, ir nepamiršk, kad Hendis, kalbėdamas apie Sent Ričardso galią, turėjo galvoje potvynio bangą.

— Taip, tu teisus.

Patekę į vestibiulį, broliai Džago ir kompanija stabtelėjo ir apsidairė. Apsauginis miegojo užsikniaubęs ant stalo. Televizorių ekranai buvo tušti.

— Viskas gerai. Varom į saugyklą, — tarė Konis Brigsas.

Mančesteris Čarlis Fordas nusijuokė.

— Aš tau sakiau, kad jis genijus, — ir visi nuskubėjo plačiais marmuriniais laiptais į apačioje esančias saugyklas.

Kita grupė tunelyje pasiekė grotuotas duris.

— Prie darbo! — sukomandavo Haris Solteris.

— Mes galėtume aptalžyti juos pakeliui į išėjimą, — tarė Bilis. — Dvylika milijonų yra dvylika milijonų.

— Kaip jau sakiau, Bili, tai per daug. Jie sukviestų visą armiją. Taigi laikykimės mano pasiūlymo. Man niekada nepatiko broliai Džago — su savo narkotikais, kekšėmis ir pornografija. Šiukšlės.

Jis atsisuko į Džo Baksterį.

— Trauk savo įrankius ir tikėkimės, kad britų kalėjimai tave šio to išmokė.

Džo Baksteris išsitraukė iš krepšio autogeninio suvirinimo aparatą. Iš kito krepšio Semas Holas išėmė deguonies balioną.

Baksteris uždegė degiklį ir ėmėsi darbo.

Didžiulės saugyklos durys atsivėrė, ir Džago kompanija įžengė į Aladino olą. Jie išskleidė savo kelionmaišius, ištraukė maišelius ir ėmė pilti į juos deimantus.

— Jėzau, — sušnabždėjo Haroldas. — Nieko panašaus gyvenime nebuvau matęs.

Visus ištiko vos ne isteriškas juoko priepuolis, bet pagaliau jie baigė darbą.

— Gerai, dabar nešdinamės, — paliepė Haroldas ir pirmasis pasuko laiptų link.

Nusileidę į rūsį, jie nubėgo prie išmuštos skylės ir vienas po kito išlindo į tunelį.

— O varge, tunelyje vanduo, — tarė Tonis.

— Taip ir turi būti, — atsiliepė Haroldas. — Ateina potvynio banga. Bet mes dar turime laiko. Judam!

Kol jie pasiekė grotas, vanduo pakilo per pėdą. Fordas pirmasis pripuolė prie grotų ir pabandė atidaryti.

— Kas čia dabar, velniai griebtų? Jos nejuda.

Velas Frenčas nustūmė jį į šoną ir pamėgino pats.

— O siaube! Kažkas jas suvirino.

— Tas kažkas — tai aš ir mano draugai. — Dilanas su Bleiku atbrido prie vartų. — Aš esu Šonas Dilanas, o čia Bleikas Džonsonas. Esu tikras, kad turite mobilųjį telefoną. Paskambinkite Džekui Foksui ir praneškite jam blogas naujienas.

Broliai Džago įsikabino į grotas ir ėmė jas purtyti.

— Eik velniop!

Dilanas šyptelėjo.

— Ne, ponai, bijau, kad velniop eisite jūs. O dabar prašom man atleisti — vanduo sparčiai kyla.

Dilanas ir Bleikas apsisuko ir nubrido. Vanduo dabar siekė dvi pėdas. Jie išlindo į pakrantę, kurią jau sėmė. Haris Solteris ir kiti laukė jų ant laiptų.

Dilanas išsiėmė koduotą telefoną ir paskambino į Skotland Jardą Specialiojo skyriaus numeriu.

Atsiliepė pareigūnas.

— Specialusis skyrius. Kuo galiu padėti?

— Broliai Džago ir jų komanda užstrigo Baltojo deimanto kompanijoje, Sent Ričardso doke. Jie negali pasprukti tuneliu, kuriuo ir pateko vidun, nes vanduo kyla. Jei paskubėtumėt prie pagrindinio įėjimo, sučiuptumėt juos su dvylikos milijonų vertės deimantais.

— Kas čia kalba?

— Nebūk kvailas, geriau paskubėk.

Džago ir kiti įnirtingai purtė grotas, bet Džo Baksteris buvo pasidarbavęs nepriekaištingai. Vanduo kilo sulig kiekviena minute.

— Jėzau šventas, — suaimanavo Haroldas. — Čia toji vadinamoji Sent Ričardso galia. Dingstam iš čia.

Visi puolė atgal, sunkiai brisdami per putojantį vandenį, sulindo per skylę ir užsikabarojo laiptais į vestibiulį.

— Paklausykit, — tarė Haroldas, — jei tas "Hauleris" veikia, tada priekinės durys irgi turi būti atidarytos.

— Gerai sakai, — pritarė Konis.

— Tai nešdinamės kuo greičiau.

Jis pirmasis pribėgo prie durų, tačiau kaip tik tuo momentu pasigirdo stabdžių cypimas ir priešais įėjimą sugriuvo tuzinas policijos automobilių.

Haroldas suglumęs ir piktas sustojo.

— Uždaryk tuo savo suknistu daiktu duris, — paliepė jis Koniui. Šis pakluso. — Tegu jie palaukia.

Policininkai sugriuvo prie stiklinių durų. Tonis Džago atkišo jiems du pirštus. Haroldas mobiliuoju telefonu susisiekė su Foksu Dorčesterio viešbutyje.

— Haroldai, kaip pasisekė? — pasiteiravo Foksas.

— Puikiai. Stoviu štai Baltojo deimanto kompanijoje, laikydamas dvylikos milijonų vertės krepšį, o mažiausiai dvidešimt mentų bando įsiveržti pas mus.

— Dėl Dievo meilės, kas atsitiko?

Haroldas jam papasakojo.

— Dilanas? — pakartojo Foksas. — Ar tu tikras?

— Ir tas amerikietis, Džonsonas. Atrodo, kad jie pasistengė dėl tavęs labiau, nei tu manai, Džekai. Bėda ta, kad kartu jie pasistengė ir dėl manęs.

— Pasamdysiu tau geriausią Londono advokatą.

— Labai tau ačiū. Tai didelė paguoda, Foksai. Nusišikt man ant tavęs ir tavo advokato!

Jis išjungė telefoną.

— Ką, velniai rautų, darysime, Haroldai? — paklausė Tonis.

— Keliausime su viltimi, Toni. — Haroldas atsisuko į Konį Brigsą. — Nagi, atidaryk tas duris. — Konis pakluso, ir policija sugriuvo vidun.

— Tas niekšas Dilanas. Jis ir Džonsonas, jie sužlugdė operaciją! — šaukė Foksas.

— Sinjore? — prasižiojo Falkonė.

— Dieve, dabar aš viską supratau. Jie pasidarbavo ne tik Koliziejuje, bet ir Al Šarize bei Kilbege. O dabar — tai!

— Bet kaip, sinjore? Kaip jie sužinojo?

— Viskas per tą žurnalistę Džonson. Ji kažkokiu būdu sužinojo ir papasakojo jiems. Dievas žino, kaip.

— Tai ką darysime, sinjore?

Foksas atsisuko į jį negailestingai žibančiomis akimis.

— Keršysime, — atsakė jis. — Štai ko aš noriu — keršto.

— Ir kaip?

— Pasakysiu tau vėliau. O dabar noriu, kad judu su Ruso nueitumėt į Koliziejų ir paimtumėt Rosį ir Kamečę. Tučtuojau. — Foksas niršo. — Ir paskubėk.

— Sinjore.

Falkonė išėjo, pasikvietė Ruso ir pakeliui į mašiną papasakojo viską.

— Jis labai piktas, o per daug pykti negerai, — tarė Ruso.

— Man gali to nesakyti, — atsiliepė Falkonė.

Pakeliui į Koliziejų jis paskambino iš automobilio Donui Marko į Niujorką ir perdavė naujausias žinias.

— O Dieve, Aldo, negi jis nesupranta? Jiẽ taip ir laukia, kad jis ateitų pas juos. Jam derėtų palikti viską ir dingti iš ten.

— Jis to nedarys, Donai Marko. Jis labai įpykęs.

— Ir pamišęs, jei ketina keršyti jiems. Bet Džekas visuomet buvo kietakaktis.

Falkonė padvejojo, tada ištarė neįtikėtinus žodžius:

— Ar norite, kad pasirūpinčiau juo, Donai Marko?

— Ne, Aldo. Nesvarbu, ką jis padarė, jis juk mano sūnėnas, mano kraujas. Aš atvykstu pats. Išskrisiu iš Niujorko po valandos. Tu palaikyk su manimi ryšį.

— Būtinai.

— Aldo, man reikia visiško tavo lojalumo.

— Aš visuomet ištikimas jums, Donai Marko.

Be "Galfstrymo", šeima turėjo dar vieną dviejų variklių lėktuvą Bardsėjaus oro klube Londono apylinkėse. Juo buvo patogu skraidyti vietiniais reisais, kai prireikdavo leistis ant trumpų takelių, todėl "Auksinis erelis" ypač tiko kelionei į Pragaro žiotis. Foksas paskambino pilotui, senyvam buvusiam Karališkųjų oro pajėgų karininkui Svonui, ir rado jį namuose.

— Pone Foksai, kuo galiu padėti?

— Po poros valandų man reikia išskristi į Pragaro žiotis. Ar galite tai suorganizuoti?

— Jei reikia, pone Foksai. Tik gali būti sunku nusileisti. Jau gana tamsu.

— Man nerūpi, net jei nuleisite mus ant pilvo, tik nugabenkite ten.

— Kaip pasakysite, sere.

Kai Dilanas atvažiavo į Steibl Mjuz, Foksas, Ruso, Falkonė, Rosis ir Kamečė jau laukė jo dideliame juodame furgone.

Dilanas išlipo su Bleiku ir padavė jam raktą nuo namo.

— Eik. Aš grįšiu vėliau. Važiuoju pažiūrėti, ko nori Fergiusonas.

Jis įsėdo atgal į taksi ir nuvažiavo. Bleikas pamažu ėjo durų link, kai privažiavo furgonas. Iš jo iššoko Rosis ir Kamečė. Bleikas dar bandė priešintis, tačiau neturėjo jėgų. Foksas persilenkė per Ruso, kuris sėdėjo prie vairo.

— Dabar mano eilė, Džonsonai. Kiškite jį į galą. Tu žinai, ką daryti, Falkone.

Parankiniai nutempė Bleiką į galą, o Falkonė paruošė švirkštą.

— Tai padės tau pasijusti geriau, — tarė jis ir įsmeigė adatą Bleikui į dešiniąją ranką.

Bleikas vis dar priešinosi, tačiau netrukus viskas kažkaip nutolo, ir jis išsijungė.

Bardsėjus dirbo ištisą parą, aptarnaudamas vis didėjantį privačių lėktuvų, kurių nebenorėjo priimti Hetrou, skaičių. Vidaus reisų niekas labai netikrino. Svonas jau laukė jų.

— Išskrisime nedelsiant, — tarė Foksas. — Nenoriu čia sukiotis. Aš truputį nerimauju dėl savo draugo. Jis per daug išgėrė.

— Ar atgalinis reisas bus, pone Foksai? — paklausė Svonas.

— Ne šiąnakt. Jūs palauksite nusileidimo juostoje, kol aš duosiu tolesnius nurodymus.

Svonas, puikiai žinodamas, su kokiais žmonėmis turi reikalą, tik linktelėjo.

— Kaip pasakysite, sinjore, — ir nuėjo sužinoti išskridimo duomenų.

Rosis ir Kamečė užtempė Bleiką laiptais. Ruso nusekė jiems iš paskos, o Foksas atsisuko į Falkonę.

— Paskambink prižiūrėtojui seniui Karteriui. Pasakyk, kad užkurtų židinius, o pats išeitų namo.

— Klausau, sinjore.

Foksas užlipo trapu į lėktuvą, o Falkonė užgulė savo mobilųjį telefoną. Baigęs atėjo į saloną, ir Svonas uždarė duris. Foksas pamojo Falkonei.

— Duok man telefoną.

Jis išsitraukė kortelę su informacija, kurią parūpino Mod Džekson, susirado Fergiusono telefono numerį Kavendiš aikštėje ir surinko jį.

— Čarlis Fergiusonas.

— Džekas Foksas. Ar Dilanas yra?

— O, ponas Foksas. Ir kaip jūs jaučiatės šįvakar?

— Užsičiaupk, Fergiusonai. Duok man Dilaną.

Fergiusonas padavė ragelį Dilanui.

— Vaje, Džekai, apgailestauju dėl tos nesėkmės.

— Taip, bet tai menkniekis, palyginti su ta nesėkme, apie kurią tau tuoj pasakysiu, Dilanai. Aš turiu Bleiką Džonsoną ir vežuosi jį į pragarą — deja, atgal neparvešiu. Mačiau, kaip nuvažiavai taksi, Dilanai, ir sugriebiau jį, nespėjus jam prieiti prie durų. Jei pakrutinsi smegenis, gal ir suprasi, kur aš jį gabenu, — man tai suteiktų beribį malonumą.

Jis nutraukė ryšį, Dilanui nespėjus nieko atsakyti. Dilanas atsisuko į Haną ir Fergiusoną.

— Foksas turi Bleiką. Jis pasakė, kad vežasi jį į pragarą ir kad atgal neparveš. — Dilanas paniuro. — Pragaro žiotys yra Kornvalyje — esu tikras, kad ten. Leisk man pasinaudoti telefonu.

— Nereikia, Dilanai, tai spąstai, — tarė Hana. — Jis tyčia leidžia tau atspėti, nes nori užmušti ir tave.

— Gali būti, Hana, bet aš negaliu palikti Bleiko vieno.

Jis paskambino į Olandų parko namą Helenai Blek.

— Blogos naujienos. Tas išpera pagrobė Bleiką. Sujunkit mane su majoru.

— Aš klausau, Dilanai, — atsiliepė Roperis. — Kas yra?

Dilanas jam papasakojo.

— Duok man porą minučių, — pasakė Roperis.

— Šaunuolis.

Netrukus Roperis vėl prašneko.

— Taip, be "Galfstrymo", Solaco šeima dar turi "Auksinį erelį". Žinai tą lėktuvą?

— Ne kartą esu skridęs juo, — tarė Dilanas. — Puikiai tinka trumpiems takeliams.

— Būtent toks ir yra Pragaro žiočių valdose. Ten yra sena Oro pajėgų jėgainė dar nuo Antrojo pasaulinio karo laikų. Artimiausias padoresnis oro uostas priklauso Karališkajam oro laivynui — Sen Džastas, už dvidešimties mylių. Tai oro ir jūrų gelbėjimo tarnyba su malūnsparniais ir ilgais takais.

— Dėkoju, sūnau.

— Kaip suprantu, skrisi ten.

— Teisingai supranti.

— Norėčiau būti kartu. Pailiksiu prie kompiuterio, jei tau kartais manęs prireiktų. Palauk minutėlę. — Stojo tyla, tada Roperis vėl prabilo. — "Auksinis Erelis" pakilo prieš dvidešimt minučių. Aikštelė buvo rezervuota reisui į Kornvalį, Pragaro žiotis, šešiems keleiviams.

— Ir vienas iš jų yra Bleikas. Ačiū, Roperi.

— Jie išskrido iš Bardsėjaus "Auksiniu Ereliu" į Pragaro žiotis. Šeši žmonės, — pranešė Dilanas. Jis surinko dar vieną numerį.

— Šonai, ką tu darai? — paklausė Hana.

— Nesijaudink, neskambinu Kornvalio policijai. Jie geri žmonės, bet tokiam darbui netinka. Skambinu į Farlėjaus lauką.

— O ko? — nesiliovė ji.

— Nes jis ketina skristi paskui juos, — atsakė Fergiusonas. — Pažįstu savo Šoną.

— Jis pasakė skraidinąs Bleiką į pragarą, bet ne atgal, — tarė Dilanas. — Ką gi, seksiu paskui juos į pragarą.

Balsas ragelyje tarė:

— Farlėjaus laukas.

— Dilanas. Suraskite man eskadrilės vadą Leisį, jei jis ten.

— Tiesą sakant, mačiau jį karininkų valgykloje. Palūkėkite.

Po minutėlės atsiliepė Leisis.

— Ar tai tu, Dilanai?

— Mes turime išskristi, tuočtuojau.

— Kur?

— Į Pragaro žiotis, netoli Lizardo kyšulio Kornvalyje. Ten trumpa nusileidimo juosta, taigi man reikės parašiuto.

— Žinau tą vietą. Netoliese yra KOL Sent Džasto oro uostas.

— Būtent, taigi tu išmesi mane, o pats nusileisi Sent Džaste.

— Jėzau, Dilanai, tu ir vėl gelbėji pasaulį.

— Ne, gelbėju Džonsono gyvybę. Pasikalbėk su ūkio dalies viršininku. Man reikia brauningų ir dviejų parašiutų. Manyčiau, teks šokti iš šešių šimtų pėdų aukščio.

— Tu pamišęs, Dilanai, bet aš padarysiu viską, ką galiu.

Dilanas padėjo ragelį.

— Du parašiutai, — tarė Hana. — Apie ką čia, po galais, kalbi?

— Tik jau ne apie Specialiąsias oro pajėgas. Ne tas laikas. Turiu kai ką numatęs — dabar eisiu ir pasikalbėsiu su juo. Jei manęs reikės, būsiu Farlėjaus lauke.

— Ketini paprasčiausiai išžudyti visus tuos žmones, ar ne? — piktai rėžė Hana.

Dilanas pažiūrėjo į Fergiusoną.

— Ji miela moteris, brigadininke, bet jos moralų man jau gana. Mane labiau domina, kaip išgelbėti gero žmogaus gyvybę, — ir jis apsisukęs išėjo.

Hana nusisukdama burbtelėjo:

— Jis pamišėlis, sere.

— Ne, inspektore. Jis — Dilanas.

Haris Solteris, Bilis, Džo Baksteris ir Semas Holas sėdėjo prie paskutiniojo staliuko ir gurkšnojo škotišką viskį, kai įėjo Dilanas.

— Dilanai, sūnau, — tarė Haris Solteris. — Ar mes tai padarėme, ar mes tai padarėme?

— Foksas pagrobė Bleiką, — atsakė Dilanas. — Ir išskraidino jį į savo valdas Kornvalyje.

Stojo tyla.

— Ką ketini daryti? — po kurio laiko paklausė Solteris.

— Negaliu visko taip palikti, jie jį sukapos į gabalus. Po valandos išskrendu iš Farlėjaus. Iššoksiu virš jų valdų parašiutu ir pamėginsiu užklupti juos be kelnių. Teks šokti, nes tenykštė juosta per trumpa “Galfstrymui”. Artimiausia KOL bazė už dvidešimties mylių.

— Sakei, Foksas ir dar keturi parankiniai, Dilanai? — prašneko Bilis. — O tu skrendi vienas?

— Ne, Bili, aš skrendu su tavim.

— Tu visai išsikraustei iš proto, — pasakė Haris Solteris.

Dilanas nekreipė į jį dėmesio.

— Bili, ar esi girdėjęs apie Arnhemą Antrojo pasaulinio karo metu, apie desantininkus? Ten buvo toks daktaras, karo chirurgas, kuris gyvenime nebuvo šokęs su parašiutu, bet jiems labai reikėjo gydytojo. Jam puikiai pavyko — pavyks ir tau,

Bili. Patikėk manim. Reikia tik iššokti, šešių šimtų pėdų aukštyje patraukti virvelę, per dvidešimt penkias sekundes pasiekti žemę — ir viskas.

— Tu pamišęs, — tarė Solteris.

Bet Bilis jau plačiai šypsojosi.

— Kaip jau sakiau, Dilanai, tu kaip ir aš nemali be reikalo liežuviu ir negaišti laiko. Rodyk kelią.

— Jei jis skrenda, tai skrendu ir aš, velniai rautų, — tarė Solteris. — Net jei teks likti tik pagalbiniu.

— Gerai, — atsiliepė Dilanas. — Tada pirmyn.

PRAGARO ŽIOTYS

15

Kai Dilanas, Haris Solteris ir Bilis atvyko į Farlėjaus lauką, Leisis ir Peris jau laukė jų.

— Eime į operacijų salę ir išsiaiškinkime, ar aš viską teisingai supratau, — pasakė Leisis.

Ūkio dalies viršininkas jau buvo paruošęs Dilano užsakytus brauningus, du AK47, parašiutus ir kombinezonus.

— Pasikalbėkite su ponu Solteriu, majore seržante, tai jo pirmasis šuolis, — paprašė Dilanas.

— Iš tikrųjų, pone Dilanai? — bejausmiu veidu atsiliepė majoras seržantas. — Tada reikėtų tarti vieną kitą žodį.

— Tiesiog parodykite man, — pasakė Bilis.

Dilanas nuėjo prie žemėlapių stalo ir ėmė tartis su Leisiu ir Periu.

— Ne viskas taip blogai, kaip atrodo, — tarė Leisis. — Dabar pusmėnulis. Siūlyčiau vieną užskridimą, nes daugiau neliks laiko. Tada mes nulėksime į Sent Džastą.

— Man tinka.

— O tas kitas vaikinukas, — tarė Leisis. — Ar jis žino, ką daro?

— Kuo puikiausiai.

Įėjo Fergiusonas ir Hana Bernštain. Brigadininkas, pamatęs Solterį, apstulbo.

— Kas gi čia dabar? Tu kalbėjai apie du parašiutininkus, o jis ne parašiutininkas.

— Dabar jau parašiutininkas, — atsiliepė Bilis. — Atrodo, kad aš viską supratau, Dilanai. Tereikia trukteleti šį žiedą, ir viskas. O ginklai gana paprasti. Susitvarkiau Kilbege, susitvarkysiu ir čia.

— Tai pamišimas, — tarė Hana.

— Ne, tai bandymas išgelbėti Bleikui Džonsonui gyvybę, — atrėžė Dilanas. — Aš pasiruošęs, jeigu ir jūs pasiruošęs, brigadininke, nebent turite kitų minčių.

— Ne, — atsakė Fergiusonas. — Ten, kur įsikiši tu, nereikia ieškoti logikos, todėl daryk, ką sumanei.

— Haris irgi atvažiuos, — tarė Dilanas. — Siūlyčiau jums visiems lipti į lėktuvą, o mudu su Biliu persirengsime ir ateisime.

— Kaip nori.

Po dešimties minučių Dilanas ir Bilis, apsitempę kombinezonais, užsidėję parašiutus ir apsiginklavę atėjo į saloną ir užėmė vietas. Peris uždarė duris.

— Jėzau, Bili, atrodai kaip iš filmo apie Vietnamo karą, — išsižiojo Solteris. — Ką čia vaidini?

Bilis išsišiepė.

— Vaidinu save, Hari, — ir jaučiuosi puikiai.

Bleikas atsisėdo ant akmeninės atbrailos tunelyje. Vanduo sėmė jį iki juosmens ir jis apsikabino save, bandydamas sušilti. Ar Dilanas ateis? Foksas to tikisi, laikydamas jį čia vietoje masalo. Situacija beviltiška, bet Dilanas juk tokių situacijų meistras. Kažkur aukštai, pro storas seno namo sienas, Bleikas tarėsi išgirdęs triukšmą, primenantį lėktuvo variklio gausmą, bet nebuvo tikras. Priplaukė žiurkė ir ėmė sukti ratus.

— Sakiau tau, — tarė Bleikas, — elkis gražiai.

Lėktuvo gaudimas greitai nutilo.

— Kas čia buvo? — paklausė Falkonė.

— Tai galėjo būti paprastas lėktuvas į Sent Džasto oro uostą, — atsiliepė Foksas. — Tačiau galėjo būti ir Dilanas. Geriau pasiruoškime.

Jis stovėjo prie židinio didžiojoje salėje su Falkone ir Ruso.

— Bet pirmiausia atnešk man brendžio.

Ruso nuėjo prie baro, įpylė stiklą ir atnešė jam. Apsiginklavę kulkosvaidžiais, įėjo Rosis ir Kamečė.

— Atleiskite man, sinjore, bet negi jūs tikrai manote, kad Dilanas pasirodys? — paklausė Falkonė.

— Daviau jam pakankamai užuominų. Jis protingas. Jis pasirodys.

— O jei jie atsiųs policiją? — įsikišo Ruso.

— Kas, Dilanas? Ne, tai per daug asmeniškas reikalas. Jis nepatikės jo policijai.

— Bet Fergiusonas dirba Slaptojoje žvalgyboje, — pastebėjo Falkonė. — Gal jis nusprendė pasinaudoti Specialiosiomis pajėgomis, Oro tarnyba?

— Nemanau. Jie viską darė labai slaptai. Jiems mažiausiai reikalingas viešumas. Kuo mažiau triukšmo, tuo geriau. Čia kaip ringe — vienas prieš vieną, ranka į ranką, akis į akį.

— Kaip pasakysite, sinjore.

Foksas atsisuko į Rosį ir Kamečę.

— Eikite į sodą ir atidžiai stebėkite. Patikrinkite duris.

Jie pasišalino. Foksas gurkštelėjo brendžio. Jis buvo teisus visais atvejais, išskyrus vieną. Dilanas jau buvo ten.

Kai "Galfstrymas" sumažino greitį iki minimumo, Peris atbėgęs atidarė dureles ir nuleido laiptelius. Į saloną įsiveržė vėjo gūsis.

— Dieve visagali, — ištarė Solteris.

Dilanas atsisuko ir šyptelėjo Biliui.

— Aš vyresnis, tu pienburni. Šoksiu pirmas.

— Labai ačiū. Varyk, Dilanai.

Bilis, beveik paklaikęs iš baimės, išstūmė Dilaną ir nėrė jam iš paskos.

Lynojo, tvyrojo lengva migla, tačiau mėnulio dėka apačioje ganėtinai aiškiai matėsi namas ir jo apylinkės. Dilanas skubiai ir sklandžiai nusileido ir apsidairė. Pamatęs Bilio parašiutą, išsipūtusį it keista gėlė, pribėgo ir sulamdė jį. Bilis atsisėdo.

— Kaip tu? — paklausė Dilanas.

— Atrodo, kad nieko. Nukritau aukštielninkas ir susitrenkiau nugarą. — Jis pasikrutino. — Bet jaučiuosi gerai.

Dilanas nusegė jo parašiutą.

— Tada judam!

Bilis tučtuojau pašoko.

— Jėzau, Dilanai, negaliu patikėti, ką mes darome.

— Geriau patikėk. Vėl viskas kaip Kilbege, tik šį kartą mūsų laukia penki blogiečiai, pasirengę smogti, todėl būk pasiruošęs.

Dilanas nužvelgė sodą pro naktinius žiūronus ir terasoje pastebėjo Kamečę.

— Pažiūrėk, — sušnabždėjo jis Biliui.

Bilis linktelėjo.

— Daugiau nieko nematau.

— Aš eisiu į kairę, tu — į dešinę.

— Supratau, Dilanai.

Kamečė stovėjo prie baliustrados, stebėdamas mėnulio apšviestą sodą. Staiga jis pajuto į nugarą įremtą AK47 vamzdį.

— Tik cyptelk, ir aš ištaškysiu tau stuburą, — tarė Bilis.

— Ar tu Dilanas? — paklausė Kamečė.

— Ne, aš jo jaunesnysis brolis, — tyliai atrėžė Bilis. — Pažiūrėk štai ten.

Dilanas išlindo iš šešėlio, ir Rosis, tūnojęs kitoje terasos pusėje, atsistojo. Bilis pamatė jį pirmas.

— Dilanai! — tyliai šūktelėjo jis.

Dilanas pasisuko, kostelėjo automato slopintuvas, ir Rosis krito negyvas.

Dilanas suėmė Kamečę už smakro.

— Sakyk, kas viduje, ir kuo greičiau, kitaip tau galas.

Kamečė, sustingęs iš siaubo, tarė:

— Sinjorai Foksas, Falkonė ir Ruso.

— Nuostabu, — tarė Dilanas. — O kur amerikietis?

— Jis tunelyje, rūsiuose.

— Gerai. Vesk mus ten.

Kamečė nuvedė juos pro virtuvę laiptais žemyn į rūsius. Jie priėjo senas ąžuolines duris.

— Čia, — pasakė Kamečė.

— Tai atidaryk.

Kamečė padarė, kaip lieptas. Bleikas, iki pusės vandenyje, atsisuko.

— Ką čia darai, mirkaisi? — tarė Dilanas. — Dabar ne laikas mėgautis. Nešdinkis iš čia.

Bleikas užsvirduliavo laiptais.

— Kur taip užtrukai?

Jis visas drebėjo. Dilanas atsisuko į Kamečę.

— Nusirenk. Matai, žmogus šąla.

— Bet, sinjore, — bandė protestuoti Kamečė.

Dilanas kyštelėjo jam po smakru vamzdį.

— Daryk, kas pasakyta. — Jis nusiėmė nuo kaklo šaliką ir padavė jį Bleikui. — Apsišluostyk truputį.

Bleikas kaip įmanydamas apsitrynė, o Kamečė tuo metu nusirengė. Bleikas užsitempė jo drabužius. Kamečė liko su apatiniais.

Tuo metu Falkonė atidarė prancūziškus langus, išėjo į terasą ir rado Rosio kūną. Jis tučtuojau grįžo vidun pas Foksą ir Ruso.

— Rosis negyvas. Kamečės nesimato.

— Kristau, — įsitempė Foksas. — Jis čia, tas niekšas čia. Išsiskirstykit.

Tą minutę Dilanas įstūmė nuogą Kamečę į salę. Falkonė, apstulbintas tokio netikėto jų pasirodymo, automatiškai iššovė. Kamečė raitydamasis nugriuvo ant grindų.

— Ei, ne į tą pataikei, — šūktelėjo Dilanas. — Aš čia, Džekai. Išmušė atpildo valanda.

— Eik velniop, Dilanai, — suriko Foksas.

Didelis sietynas apšvietė visą salę. Falkonė šnipštelėjo Ruso.

— Lik su manim. Pamažu slinkim prie virtuvės durų. — Jis pamatė, kaip Foksas sliūkina dešinėn.

— Čia per daug šviesu, — tarė Ruso.

Falkonė paleido seriją į sietyną, ir šis su triukšmu nukrito ant grindų.

— Jau nebe.

Jis pasilenkė, truktelėdamas kartu su savimi Ruso.

Dabar salė atrodė keistai, apšviesta tik nuo didžiulio židinio sklindančios šviesos, krentančios ant šarvų, senovinių vėliavų ir plačių laiptų kairėje. Dilanas, Bleikas ir Bilis susigūžė po dideliu stalu salės viduryje.

— Kas dabar? — paklausė Bilis.

— Palūkėk, Bili, visuomet skubėk lėtai. — Jis išsitraukė savo brauningą ir padavė jį Bleikui. — Jei kartais prireiktų.

— Bet kaip jūs čia iš viso patekote? — paklausė Bleikas.

— Leisis ir Peris nuleido mus, ir mudu su Biliu iššokome.

— Daug daugiau nei prieš porą valandų. Nesijaudink, tuoj atvyks pastiprinimas.

— Specialiųjų pajėgų komanda?

— Ne. Fergiusonas, Hana ir Haris Solteris.

— O švenčiausiasis...

— Mes susitvarkysime, Bleikai. Kamečė ir Rosis gatavi. Lieka tik Falkonė, Ruso ir senasis gerasis Džekas Foksas.

— Kaip veiksime? — nekantravo Bilis.

— Jau sakiau tau. Lauksime, Bili, ir leisime jiems patiems ateiti.

Aplinkui įsivyravo tyla. Falkonė ir Ruso prislinko prie durų į virtuvę. Foksas prisliūkino prie kitų durų šalia židinio. Jis atidarė jas, užlipo spiraliniais laipteliais iki aikštelės ir persisvėręs pažiūrėjo į salę. Staiga po stalu jis pamatė kažką sujudant. Po jo kojomis trakštelėjo laiptų lenta.

— Tas išpera kažkur virš mūsų, — tarė Dilanas. — Pasislink į dešinę, Bili.

Bilis pasislinko, ir Dilanas šūktelėjo.

— Tai ką, Džekai, suvesime galus? — Jis stumtelėjo Bleiką. — Lįsk į tuos šešėlius.

Viršuje Foksas sujudėjo, ieškodamas jungiklio, kad galėtų įjungti sienines lempas, kurios paprastai apšviesdavo ant sienų kabančius paveikslus. Tada stabtelėjo ir apgraibomis apčiupinėjo sieną.

Apačioje Bleikas pradėjo šliaužti, bet paslydo ir riktelėjo iš skausmo, nes užgulė skaudamą ranką. Dilanas ištiesė ranką jam padėti, bet tą minutę Foksas įjungė lempas.

— Pakliuvot, šūdžiai.

Jis kilstelėjo valterį ir dukart iššovė Dilanui į nugarą. Kad pataikytų, jam teko atsistoti, bet tą patį padarė ir Bilis. Jis paleido į Foksą visą seriją, priblokšdamas jį prie sienos. Foksas atšoko nuo sienos, persivertė per baliustradą ir žnektelėjo ant žemės. Kurį laiką jo kūnas dar trūkčiojo. Tada stojo tyla.

Falkonė atidarė virtuvės duris ir tarė:

— Dingstam iš čia.

— Kur? — paklausė Ruso.

— Į pakilimo taką. Mums reikia grįžti į Londoną. Turi atskristi Donas Marko, reikia pranešti jam naujienas.

— Kartais jie nužudo pasiuntinį, — suabejojo Ruso.
— Tik ne šį kartą. Tai per daug svarbu.
Falkonė ir Ruso išslydo į lauką ir pasileido per kiemą. Po kelių minučių jie jau lėkė pakilimo tako link.

Dilanas gulėjo salėje ant grindų, apsvaigęs nuo į nugarą paleistų kulkų. Dejuodamas jis šiaip ne taip atsisėdo. Pribėgo Bilis.
— Dilanai, kaip tu?
— Gerai, ačiū Dievui, kad vilkėjau neperšaunamą liemenę. Truputį skauda, bet tai niekis. — Jis apsidairė. — Ar čia kas nors yra? — pašaukė jis.
Tyla. Po minutėlės pasigirdo Bleiko balsas.
— Kaip tu, Šonai?
— Viskas gerai. Atrodo, kad kiti pabėgo. Girdėjau nuvažiuojančią mašiną.
Jis atsistojo ir priėjo prie Džeko Fokso kūno. Bleikas irgi priėjo. Jie pastovėjo, žiūrėdami į kūną.
— Na štai, Bleikai. Jis jau sumokėjo. Tu atkeršijai.
— Dar ne, — atsiliepė Bleikas. — Foksas davė įsakymą, tačiau Falkonė gyrėsi man, kad tai jo ir Ruso darbas.
— O kur gi jie? — pasiteiravo Bilis.
— Eime, aš tau parodysiu, — tarė Dilanas.
Jis priėjo prie fasadinių durų, atidarė jas ir sustojo laiptų viršuje. Bleikas ir Bilis pasekė paskui jį. Netrukus pasigirdo variklio gausmas ir virš namo praskrido lėktuvas.
— Štai kur jie, Bili, — Falkonė ir Ruso sprunka, kol dar gali.
Dar po minutėlės į kiemą įsuko lendroveris, kuriame sėdėjo Hana, Fergiusonas ir Haris Solteris.

— Ar viskas gerai, Bili? — pasiteiravo Haris Solteris, stovėdamas palei židinį.
— Geriau nei gerai, — atsiliepė Dilanas. — Foksas dukart šovė į mane. Neperšaunamos liemenės dėka likau gyvas, o Bilis suvarpė tą niekšą mirtinai. — Jis atsigręžė į Bilį. — Šis jau trečias, Bili, tu tikras asas.
— Tai ką darysime dabar, sere? — paklausė Hana. — Ar turėčiau pranešti Kornvalio policijai?

— Nemanau, — atsiliepė Fergiusonas. — Tegu viską randa prižiūrėtojas, kai ateis. Foksas ir tiedu banditėliai yra Skotland Jardo kompiuteriuose. Visas šis reikalas — akivaizdus mafijos kerštas, nieko bendra neturintis su mumis.

— Bet, sere, — prasižiojo Hana.

— Inspektore, būkite protinga. Tai pats geriausias būdas, todėl nesiginčykime. O dabar važiuojam iš čia.

Falkonė iš lėktuvo paskambino Donui Marko. Donas jau sėdo į lėktuvą Niujorke.

— Aldo, kokių turi naujienų?

— Siaubingų, Donai Marko. Nežinau, nė kaip jums pasakyti.

— Tiesiog sakyk, — paliepė Donas Marko.

Išklausęs jis atsiduso.

— Vargšelis Džekas, toks kvailas, toks kietakaktis.

— Ką man daryti, sinjore?

— Kol kas nieko. Tai, be abejo, šeimos garbės reikalas, bet mes aptarsime viską vėliau, kai atskrisiu į Londoną.

— Kaip pasakysite, Donai Marko.

“Galfstryme”, skraidinančiame Dilaną ir visus kitus į Farlėjaus lauką, suskambo Fergiusono telefonas. Jis padvejojo, tada padavė jį Dilanui.

— Manau, tau reikia pasikalbėti pačiam.

Tai buvo Roperis.

— Man paskambino Hana, taigi aš žinau, kas atsitiko. Džiaugiuosi, kad jūs sveiki ir gyvi.

— Aš taip pat.

— Patikrinau Solaco šeimos reikalus. Bardsėjuje ką tik nusileido “Auksinis erelis” su dviem keleiviais — Falkone ir Ruso.

— Dar kas nors?

— Na, tau tai patiks. Donas Marko Solaco yra pakeliui iš Niujorko į Londoną. Užsiregistravo Dorčesterio viešbutyje.

Dilanas nusijuokė.

— Ką gi, šeima turės apie ką pasikalbėti. — Jis išjungė telefoną.

LONDONAS

16

Hetrou oro uoste tvyrojo rūkas, todėl Dono Marko "Galfstrymas" buvo nukreiptas į Šenoną Airijoje. Tik po kelių valandų jie vėl pakilo į orą ir pagaliau nusileido privačių lėktuvų terminale Hetrou, kur bentlyje, mėgstamiausiame Dono automobilyje, laukė Falkonė ir Ruso.

Falkonė pabučiavo Donui ranką.

— Užjaučiu, Donai Marko. Viskas, kas galėjo būti padaryta, buvo padaryta.

— Gali man nesakyti, Aldo. Važiuojame, vėliau pasikalbėsime.

Vairavo Ruso.

— Įpilk gurkšnį brendžio, Aldo, — paprašė Donas.

Falkonė atidarė mažą barą bentlio gale ir surado tinkamą butelį ir stikliuką. Donas Marko nugėrė mažą gurkšnelį ir linktelėjo.

— Gerai, dabar papasakok man, papasakok viską.

Vėliau, Dorčesterio apartamentuose, jis stovėjo prie praviro prancūziško lango stebėdamas, kaip lietus plauna namų stogus.

— Išimk man cigarą, — paliepė jis Falkonei. — Jie krokodilo odos dėkle.

Falkonė linktelėjo Ruso, ir šis skubiai surado ant staliuko gulėjusį dėklą. Išėmęs kubietišką cigarą, jis nukirpo galiuką ir padavė Falkonei, kuris pašildė jį dideliu degtuku ir padavė seniui. Donas Marko užsirūkė.

— Džekas buvo kvailas, gobšus ir kietakaktis, bet jis buvo mano sūnėnas. Jis buvo pusiau Solaco — kūnas ir kraujas. Visi vyrai mišrūnai, Aldo.

Lietus maudė namų stogus. Užuolaidos išsipūtė. Donas Marko linktelėjo.

— Džekas galėjo kvailioti. Jis tikrai buvo vagis, kad ir ką tai reikštų. Bet jis buvo ir karo didvyris ir pasitarnavo savo šaliai.

— Mes visi žinome, koks buvo sinjoras Foksas, — tarė Aldo.

— Ir visi žinome, kaip jis baigė savo gyvenimą — jį nužudė tie žmonės: Dilanas, Džonsonas, brigadininkas Fergiusonas, — Donas atsisuko, tačiau jo veide nebuvo matyti pykčio. — Tai garbės reikalas. Skolas reikia mokėti. Pinigai dar ne viskas šiame pasaulyje, Aldo.

— Taip, Donai Marko.

Senis įsikando cigarą, išsitraukė piniginę ir išėmė kortelę su telefonų numeriais.

— Atrodo, kad trečiasis yra Fergiusono kontoros Gynybos ministerijoje. Pabandyk juo paskambinti.

Po pietų “Tamsos žmoguje” susirinko visa kompanija: Haris su Biliu, Baksteris ir Holas, Dilanas, Bleikas bei Fergiusonas su Hana.

Suskambo Hanos mobilusis telefonas. Ji atsiliepė, pasiklausė ir išjungė.

— Skotland Jardo žvalgyba ką tik informavo mane apie tris nužudytuosius Kornvalyje. Visi jie — žinomi mafijos nariai.

— Na štai, prašom, — tarė Dilanas.

Bilis nusijuokė.

— Tai bent netikėtumas.

— Ei, žiūrėk, neįsikalk į galvą tokių minčių, — apramino jį Haris.

— Bilis Vaikelis, — tarė Dilanas. — Britanijos mūšyje būtum užsitarnavęs medalį už nuopelnus aviacijai.

Dora atnešė butelį šampano, taures ir įpylė visiems.

— Tai ką, vadinasi, viskas? — paklausė Bilis.

— Dar nežinia, Bili. — Dilanas paėmė taurę. — O kam gi tada gerasis senasis Donas Marko Solaco skrido į Londoną? Kad pasimatytų su savo gydytoju ar pasimatuotų naują kostiumą? — Jis papurtė galvą. — Vendeta, Bili. Nužudyk vieną iš mūsų, ir mes nužudysim tave.

— Tu taip manai? — paklausė Haris.

— Aš taip manau, — atsiliepė Bleikas.

— Tai dar niekas nebaigta? — paklausė Haris.

— Paskutinis veiksmas. — Dilanas gūžtelėjo. — Reikia Šekspyro, kad parašytų jį.

— Jo nepaprašysi, jis velniškai negyvas, — atsakė Bilis.

Tada suskambo Fergiusono telefonas. Jis pasiklausė ir išjungė.

— Gynybos ministerija. Donas Marko nori pasikalbėti. Jis Dorčesterio viešbutyje. — Fergiusonas pažiūrėjo į Haną. — Gal sujungtumėt mane, inspektore?

Dora atnešė jai telefoną nuo baro, ir Hana paskambino į viešbutį.

— Solaco klauso.

— Su jumis nori kalbėti brigadininkas Fergiusonas.

Ji perdavė ragelį Fergiusonui. Jis įjungė garsiakalbį, kad visi girdėtų.

— Koks netikėtumas.

— Abejoju tuo, brigadininke.

— Užjaučiu dėl jūsų sūnėno mirties.

— O aš tikriausiai turėčiau pasveikinti Dilaną?

— Visai ne. Jūsų sūnėną nužudė Yst Endo gangsteriai, kurių šeima nė kiek nebijo mafijos.

— Nežaiskime, Fergiusonai. Šis reikalas per ilgai užsitęsė, o mano sūnėnas negyvas. Manau, kad mums laikas susitikti ir susitarti.

— Skamba protingai. Kada siūlytumėt?

Senis pagyvėjo.

— Spręskite jūs, bet manau, kad turėtume susitikti tik mudu. Nenoriu, kad dalyvautų Dilanas su Džonsonu.

— Aš jums paskambinsiu.

— Jis meluoja, sere, — sunerimo Hana Bernštain.

— Be abejo. — Jis atsisuko į Dilaną. — Ką manai?

— Jis sako, kad nenori matyti manęs ir Džonsono. Vadinasi, jis to tikisi. Jei žinotų, kad Foksą nušovė Bilis, pakviestų ir jį. Tai mafija. Garbė, šeima, kerštas. Jis užmuštų mus visus, jei tik galėtų. Keista. Mes kalbame apie kapitalistines vertybes visuomenėje, bet šis pavyzdys geriausiai įrodo, kad pinigai neturi vertės.

— Tai apie ką mes kalbame?

Į tai atsakė Bleikas.

— Sakyčiau, kad apie susitikimą akis į akį, kur dalyvaus jo žmonės — be jokios abejonės, Falkonė ir Ruso. Jis tikras, kad tu padarysi tą patį. Ne todėl, kad aš būčiau labai naudingas, bet bus Dilanas, taigi kas žino, kaip viskas baigsis.

— Esu dar ir aš, — atsiliepė Bilis.

— Tu geriau prikąsk liežuvį. Per greitai reaguoji, Bili. Čia tau ne filmas, — sudraudė jį Haris.

— Tai geriau nei filmas, — nenusileido Bilis.

— Puiku, — linktelėjo Fergiusonas. — Bet ką darysime dabar?

— Susitark dėl susitikimo, — tarė jam Dilanas.

— Bet kur? Vargu ar "Pianino" baras Dorčesterio viešbutyje būtų tinkama vieta.

Dilanas pagalvojo, tada atsisuko į Solterį.

— O tie tavo laivai Temzėje, Hari? Kur nors tarp Vestminsterio ir Čelsio.

— Gal "Mėlynasis varpelis"? — pasiūlė Solteris. — Jis plaukia iš Vestminsterio.

Dilanas žvilgtelėjo į Fergiusoną.

— Pasirink vakarinį laiką ir pasiūlyk jam susitikti laive, tik judu.

— Bet jis neis vienas, — karštai užginčijo Hana.

— Žinoma, ne, su juo bus Falkonė ir Ruso. — Jis šyptelėjo. — Jis tikrai tikisi, kad ateisime ir mudu su Bleiku.

Bleikas prakaitavo, jo ranka vėl buvo įtvare.

— Iš manęs mažai naudos.

— Bet iš manęs velniškai daug, — nesiliovė Bilis.

— Gerai, — linktelėjo Fergiusonas. — Taigi mes susitinkame, ir kas toliau?

— Jis mus nužudys, jei galės. Matai, tai paskutinis veiksmas, — atsakė Dilanas.

— Sere, situacija darosi nebevaldoma, — įsikišo Hana. — Mes jau ir taip sulaužėme policijos kodeksus — kalbu apie jūsų elgesį Kornvalyje.

Dilanas neišlaikė.

— Tu gera policininkė, ir aš ne kartą su tavimi dirbau, bet dabar mes kalbame apie pačius blogiausius šiame versle ir aš noriu pagaliau juos išstumti.

— O aš kalbu apie įstatymą, — sušuko ji.

— Su kuriuo tokie kaip Solaco žaidžia žaidimus. Advokatai yra įstatymų dalis. Solaco gali nupirkti geriausius advokatus. Gal tai tenkina tavo moralinę savimonę, Hana, bet man į tai nusispjaut. Aš pašalinsiu tuos niekšus.

Stojo sunki tyla. Pagaliau Fergiusonas prabilo:

— Ką pasakysi, inspektore?

Ji neatsiliepė.

— Falkonė ir Ruso nužudė mano žmoną, o mes to niekada neįrodysime, — tarė Bleikas.

Hana suglumo.

— Žinau, tai siaubinga, bet šitaip negalima.

— Net jei jie ir toliau vaikščios laisvėje? — paklausė Bleikas.

— Deja, taip.

— Ką gi, dar esu aš, ir aš dar kartą atliksiu budelio vaidmenį, — tarė Dilanas.

Hana atsistojo.

— Aš negaliu tame dalyvauti, sere, — tarė ji Fergiusonui.

— Tada siūlyčiau pasiimti porą savaičių atostogų, inspektore. Ir dar primenu, kad pradėjusi dirbti su manimi pasirašėte oficialų slaptumo aktą.

— Taip, sere.

— Galite eiti.

Hana išėjo, ir Fergiusonas tarė:

— Tai koks mūsų planas?

Sutemus ėmė lyti dar smarkiau. Į Vestminsterio prieplauką įsuko bentlis ir sustojo. Iš jo išlipo Donas Marko ir nuėjo tiltelio link. Falkonė ir Ruso jau anksčiau įsėdo į laivą, persirengę jūrininkų lietpalčiais ir džinsais it įgulos nariai. Tą patį padarė Bilis ir Haris Solteriai.

Rūkas buvo gana tirštas, smarkiai pylė lietus. “Mėlynasis varpelis" įsuko į upės vagą, ir Donas Marko nuėjo į saloną, kur sėdėjo tik dvi keleivės, senos damos. Apsižvalgęs Donas pasuko į laivagalį. Jis prisidegė cigarą, ir iš šešėlio išniro Fergiusonas.

— Donai Marko, Čarlis Fergiusonas.

— A, brigadininke.

Juos apgaubė rūkas. Prie dešiniojo borto stovėjo jūrininkas, vyniodamas virvę.

— Vienas iš jūsiškių? — mostelėjo galva Fergiusonas.

— Baikit, brigadininke. Aš tenoriu užbaigti šį apgailėtiną reikalą. Mano sūnėnas buvo kvailas, pripažįstu tai.

— Jis buvo ne tik kvailas, jis buvo žudikas, — atrėmė Fergiusonas. — Dabar, kai šitai pasakiau, nebandykite tvirtinti, kad nenorite keršto.

— Koks jūsų tikslas?

— Žinote, ką? — tarė Fergiusonas. — Kuo labiau senstu, tuo aiškiau suprantu, kad gyvenimas — tai tarsi filmas. Štai kad ir ši situacija. Mudu tarsi Erpas ir Klentonas. Kuris kurį nušaus? Pasakykit man, gerbiamasis, kodėl senstantis mafijos Donas taip vargsta, atvykdamas čionai?

Jūreivis prie turėklų, Falkonė, atsistojo. Nuo kairiojo borto ėmė artintis Ruso. Nuo viršutinio denio juos stebėjo Bilis ir Haris. Bilis laikė rankoje AK su slopintuvu.

Iš šešėlių išniro Dilanas ir Bleikas su parišta ranka.

— Nekaip atrodote, pone Džonsonai, — tarė Donas Marko.

— O, aš išgyvensiu. — Bleikas atsisuko į Falkonę. — Tu nužudei mano žmoną.

— Ei, tai buvo verslo reikalai. — Falkonė buvo ginkluotas.

— O šis — asmeninis. — Bleikas ištraukė iš įtvaro ranką, laikydamas joje valterį su slopintuvu, ir šovė į Falkonę. Šis atsitrenkė į turėklus, apsisuko ir nuskriejo žemyn galva į upę.

Ruso nusitaikė į Fergiusoną, ir Bilis, persilenkęs per denio kraštą, paleido į jį automato seriją, pasiųsdamas Ruso paskui Falkonę.

Bleikas jautėsi išties prastai, jo veidu žliaugė prakaitas.

— Nežinau, kodėl nenušaunu tavęs, bet aš sužlugdžiau

tavo sūnėną ir nudėjau tą niekšą kartu su jo parankiniais. Manau, kad paliksiu tave gyvą, kad turėtum apie ką pamąstyti.

Jis nusisuko, ir jiedu su Fergiusonu pasišalino. Dilanas prisidegė cigaretę.

— Jis vienas iš tų teigiamų herojų, kurie nori patobulinti pasaulį. Netgi Fergiusonas vis dar bando tai, bet tik ne aš. Gyvenimas nuvylė mane labiau, nei aš tikėjausi, todėl velniop tave. — Jis trenkė Donui Marko per veidą, sugriebė jį už kulkšnių ir sviedė į upę. Rūkas subangavo. Vandenyje žybtelėjo cigaro nuorūka. Viskas baigta.

Jie laukė jo daimleryje.

— Pasirūpinai? — tarstelėjo Fergiusonas.

Dilanas linktelėjo.

— Toji gauja, kuri pašalino Džeką Foksą ir jo vyrus Kornvalyje, matyt, tykojo Dono Marko čia. Dar vienas mafijos susidorojimas. Tikra painiava.

— Ką gi, — atsiliepė Fergiusonas, — nebloga naktelė.

— Išskyrus viena. — Jie atsisuko ir pažiūrėjo į figūrą, sudribusią ir papilkėjusią tamsoje. — Ji negrąžins jos.

Niekas į tai neatsiliepė.

Higgins, Jack

Hi28 Atpildo valanda: [romanas] / Jack Higgins; [iš anglų kalbos vertė Vilma Krinevičienė]. — Kaunas: UAB "Jotema", [2002]. — 208 p.

ISBN 9955-527-19-6

Daugybė nuotykių ir įtampa lydi Šoną Dilaną ir jo draugus iš slaptosios žvalgybos, padedančius amerikiečiui Bleikui Džonsonui iš Baltųjų rūmų apsaugos tarnybos surasti nusikaltėlius ir atkeršyti už buvusios žmonos nužudymą. Žurnalistė Katarina Džonson per daug priartėjo prie tiesos apie mafiją, ir Džekas Foksas, mafijos bosas, užsako jos nužudymą. Dilanas ir jo draugai, pasiryžę sužlugdyti mafijos užmačias, persekioja Džeką Foksą Londone, Beirute ir Airijoje.

UDK 820-3

Jack Higgins

ATPILDO VALANDA

Redaktorė *Asta Kristinavičienė*
Dovilė Zelčiūtė
Violeta Eimanavičienė
Meninė redaktorė *Daiva Zubrienė*
Maketavo *Elvyra Laipanova*

SL 250. 22,5 sp. l. Užsak. Nr. 2.877
UAB "Jotema", Algirdo g. 54, 3009 Kaunas
Tel. 337695, el. paštas: tyrai@mail.lt
Iš užsakovo pateiktų pozityvų spausdino
AB spaustuvė "Spindulys", Gedimino g. 10, 3000 Kaunas
www.spindulys.lt